À toi, Richard...
prise deux!

Un Québécois en Bavière

RICHARD GARNEAU

À toi, Richard...
prise deux!

Un Québécois en Bavière

Données de catalogage avant publication (Canada)

Garneau, Richard, 1930-

  À toi Richard- prise 2 : un Québécois en Bavière

  ISBN 2-7804-0542-7

PS8583.A6625AB 1996   C843.'54   C96-940931-1

PS8563.A6625AB 1996

PO3919.2G3745A8 1996

Couverture: *(illustration)* André Pijet
           (photo) Jean-Marie Bioteau
           (conception graphique) Standish Communications
Infographie: Tecni-Chrome

Les éditions internationales Alain Stanké bénéficient du soutien financier du Conseil des Arts du Canada pour leur programme de publication.

ISBN 2-7804-0542-7

Dépôt légal : Bibliothèque nationale du Québec, 1996

Les éditions internationales Alain Stanké
1212, rue Saint-Mathieu
Montréal (Québec) H3H 2H7
Tél.: (514) 935-7452
Téléc.: (514) 931-1627

IMPRIMÉ AU QUÉBEC (CANADA)

Dimanche deux juillet. Il pleut sur Munich et probablement sur toute la Bavière. Le ciel est gris et lourd. De ma fenêtre du troisième étage, j'observe ce paysage que je connais bien : ces édifices de couleur jaune et ocre avec toits à tuiles rouges surmontés de ces horribles antennes de télévision qui viennent briser la symétrie du décor.

Dans la rue, quelques vieux défilent lentement, s'arrêtant ici et là, sans but précis, comme ils le font sans doute depuis l'âge de la retraite.

Tout fonctionne au ralenti, le dimanche, dans cette ville fondée par des moines qui lui donnèrent son nom : Munich... München... Mönchen... « moines » en français. Mais c'est à Henri dit le Lion qu'on attribue la fondation de la cité en 1158. Voilà donc pour la petite histoire. Et puis il y eut les Louis, Maximilien et bien d'autres moins célèbres.

La grisaille de ce petit matin me permettait à peine de distinguer cette vieille dame qui, dans l'immeuble en face, semble occuper le plus clair de son temps à épier, d'un œil vide, les mouvements du temps et de la rue. Quelle que soit l'heure du jour ou de la nuit, elle est là, immobile, insondable, secrète.

Elle attend la mort, j'en suis sûr. Elle l'attend d'ailleurs depuis au moins une quinzaine d'années, depuis que la Bavière est devenue en quelque sorte ma seconde patrie. « Qui prend mari prend pays. » « Qui prend femme prend aussi... » quoi au juste qui puisse rimer ? Peu importe. Ce qui importe, pour le moment, c'est de savoir pourquoi cette femme sans âge, qui normalement ne devrait présenter aucun intérêt pour moi, me fascine.

Je me pose la question depuis longtemps et, ce matin seulement, je crois avoir trouvé la réponse. Elle m'est arrivée comme ça, tout à coup, à travers les nuages, sans doute transmise par un invisible messager de l'au-delà.

Cette femme qui me regarde sans me voir, eh bien, c'est la mort. J'en ai eu un frisson. Pour tenter d'exorciser cette morbide révélation, je lui fis un signe de la main. Aucune réaction.

— Mais bougez donc ! Montrez-moi que vous vivez ! Seulement un petit signe, je vous en prie !

Rien !

Voulant faire l'exercice à fond, j'ouvris toute grande ma fenêtre et entrepris de chanter à tue-tête ce populaire hymne à la bière : « *In München steht ein Hofbraühaus* ». Tout Munichois qui se respecte connaît cette chanson à boire, même une morte vivante.

Pas une ride ne bougea chez la vieille dame, pas un mouvement de tête ni un clignement d'yeux.

« Peut-être est-elle déjà passée de vie à trépas ? me dis-je. Peut-être l'a-t-on oubliée dans sa chaise ? »

Je jetai un coup d'œil à ma montre ; il était sept heures. Je n'aurais pas dû troubler la quiétude des passants et surtout celle des voisins avec ma voix de baryton Martin matinal légèrement éraillée.

Le voisin du dessus, le respectable Siegfried Hartung, me le fit savoir sans équivoque. Il me servit, dans son plus pur accent bavarois, une volée de bois vert dont les échos réveillèrent le chien de la voisine, la non moins respectable *Frau Doktor* Brigitte Muster, gynécologue de profession et allumeuse de métier. Les jappements aigus du *dachshund*, ce chien traînant péniblement sa saucisse, eurent pour effet de tirer de leur sommeil dominical tous les locataires du 28, rue Kurfürsten. Et c'est moi, misérable Québécois transplanté, qui avait servi de déclencheur à cette catastrophe.

Ils étaient tous là penchés à leurs fenêtres, cherchant les raisons de cette commotion qui brisait leur rituel du dimanche.

Au premier étage : *Herr* Graf, un noble homosexuel, portant allègrement sa différence et ses quatre-vingts ans. En vous saluant, il claquait toujours des talons comme à la belle époque. Le logement d'en face était libre depuis le départ de la famille Zimmerman, dont le chef avait plus ou moins trempé dans une histoire de fraude politique.

Au deuxième étage : *Herr* Dengler. Les effluves de la soupe aux choux de sa digne épouse titillaient quotidiennement les narines averties de tous les braves habitants de l'appartement, surtout celles de la voisine de palier, *Frau* Muster, dont la chienne, Jenny pour les intimes, continuait à s'époumoner comme si on venait de lui arracher le modeste bout de queue dont la nature l'avait si parcimonieusement dotée.

Au troisième étage : le duo Grigoleit, un couple charmant originaire du nord de l'Allemagne qui remerciait tous les jours le ciel de se retrouver au sud. Il était dessinateur industriel ; elle était sa muse et son égérie.

Juste en face, il y avait nous, c'est-à-dire ma belle-mère, ma femme et nos deux filles, sans oublier un fantôme baptisé Karli ou Charlie, qui hantait les nuits de la mère de ma femme. J'aurai amplement le temps d'en reparler.

Finalement au quatrième étage : le célèbre couple de comédiens Elsa et Siegfried Hartung, dont la fille Élisabeth pianotait à toute heure du jour et de la nuit.

Le dernier logement, minuscule celui-là, était occupé par la concierge, *Frau* Saft, dont le mari fréquentait tous les estaminets et toutes les brasseries de la région.

Ne voulant pas insister et m'exposer plus qu'il ne fallait à l'ire de ces charmantes personnes, je fermai délicatement la double fenêtre et me cachai lâchement derrière les tentures pour constater que la morte vivante ne bougeait toujours pas. Ma belle-mère, la douce et irréprochable Kyra, entretenait d'excellentes relations avec tous ces gens. J'implorai donc le dieu Wotan de faire en sorte que notre bon voisinage n'ait pas été troublé par mes excès vocaux, d'autant plus que l'humidité avait traîtreusement amoché mes cordes vocales. Comme j'aurais dû respecter les interdictions de ma chère moitié : «Je ne veux pas t'entendre avant neuf heures !» La phrase était suivie d'une série de réflexions sur les habitudes et les mœurs dominicales des Bavarois en général et des Munichois en particulier.

— Le dimanche, c'est sacré ! ajoutait-elle, le doigt menaçant et pointé en direction de mon palpitant, dans la plus pure tradition germanique.

Mais là, j'exagère. Car, voyez-vous, la flamme de ma vie, née en pays teuton, n'a justement rien de germanique. Elle est russe et possède cette fameuse et mystérieuse âme russe qu'aucun autre habitant de la terre ne peut comprendre. L'âme russe, c'est une énigme, c'est quelque chose de tellement profond, de tellement métaphysique, de tellement abstrait que seul un Russe peut comprendre. Il y a belle lurette que ma merveilleuse âme québécoise a renoncé à y voir clair.

J'écoute le silence, en espérant entendre un bruit, ne serait-ce qu'un bruissement, un frémissement, dans ce vaste appartement où pioncent mes femmes.

Pourquoi donc ce maudit fantôme ne se manifeste-t-il pas pour moi comme il le fait si généreusement pour ma belle-mère et son chevalier servant, le preux et vaillant Heinrich, membre de l'ordre équestre de Regensburg, cette ville baptisée Ratisbonne par les Français. Napoléon y fut blessé lors de la campagne de 1809.

Il faut, selon l'experte Kyra, croire aux fantômes pour qu'ils apparaissent.

* * * * *

— Comme tu es le dernier des sceptiques, tu n'en verras jamais, m'avait-elle lancé sans hargne un soir, avec toutefois une bonne pointe d'ironie.

— Je ne demande pas mieux que d'y croire ; ça me prouverait, si j'en voyais un, qu'il existe au moins une autre dimension dans cet univers, avais-je répliqué tout en cillant en direction de ma femme d'un air entendu.

Valentina m'avait fusillé d'un regard sévère et méprisant.

« Prendrait-elle la défense de sa mère contre moi ? » m'étais-je inquiété, d'un œil devenu aussi sombre que le ciel bavarois.

— Moi non plus, je n'y croyais pas jusqu'à cette nuit de pleine lune du treize septembre dernier. Ce soir-là, seule dans l'appartement, j'avais choisi pour tromper mon insomnie de terminer la lecture de *La Dame de pique,* de Pouchkine.

Elle s'arrêta pour avaler un Noger (glace au chocolat et aux amandes), une délicatesse munichoise qu'elle affectionnait particulièrement. J'en profitai pour me verser un plein verre de Paulaner, cette délectable bière blonde ayant la réputation de vous faire passer de la déprime la plus noire à la goguette la plus rose.

J'en éclusai une vigoureuse lampée et me sentis tout de suite ragaillardi, prêt à écouter cette intrigante histoire.

— Où en étais-je ? Ah oui, Pouchkine ! Toujours est-il qu'aux environs de deux heures, au moment où Hermann sombrait dans la folie, trahi par sa dame de pique, je me sentis envahir par une douce quiétude qui, rapidement, se transforma en un sommeil, croyais-je, profond et réparateur.

Nous étions tous suspendus à ses lèvres, attendant fébrilement la suite, lorsque, brusquement, elle s'interrompit encore une fois, jetant dans ma direction un regard réprobateur.

— Si ce grand fanal — c'était moi — veut se moquer, je n'irai pas plus loin.

Je jetai un coup d'œil à la ronde — un trois cent soixante degrés — ne pouvant croire qu'elle s'adressait à moi, d'autant plus que j'avais affiché jusque-là un sérieux de pape en pleine contemplation.

— Moi... me moquer...! fis-je, mais...

— Justement, tu es trop sérieux. Ce n'est pas normal. Je suis certaine qu'intérieurement tu me prends pour une exaltée.

De détresse, je cherchai le soutien de ma compagne qui, pour une fois, sembla me manifester une certaine sympathie.

— Mais voyons, maman... quand même... n'exagérons rien.

— Soit, mais sachez que ce que je vous raconte là est pure vérité.

— Nous ne demandons pas mieux que de vous croire, flagornai-je, me demandant quelle attitude prendre puisque je ne pouvais ni être sérieux, ni sourire sans m'exposer à l'ire de ma tout à coup susceptible belle-mère.

Je choisis, quoi qu'il advînt, de m'envoyer une autre généreuse rasade de Paulaner et de tenter d'afficher l'air le plus neutre possible, autrement dit l'air d'un demeuré ; ce qui sembla la satisfaire.

— Bon. Où en étais-je ? reprit-elle.

— Vous veniez de vous endormir, fîmes-nous à l'unisson.

— Oui, je venais à peine de trouver le sommeil quand, brusquement, je fus réveillée par un bruit étrange, une espèce de claquement comme un drap qu'on secoue dans le vide. J'en avais la chair de poule. Je voulus crier, mais je ne réussis qu'à émettre une série de gargouillements. Aussi vite avais-je ouvert les yeux, aussi vite les refermais-je. J'étais paralysée, comme enchaînée à mon lit.

Une fois de plus, elle s'arrêta. Visiblement, ce souvenir la terrorisait. Elle venait, tout incrédules que nous fussions, de nous transmettre sa chair de poule.

Fort réjouie de nous avoir injecté sa trouille, elle avala rapidement un autre Noger pendant que je vidais ma chope d'un seul trait.

— *Na zdarovia!* clamai-je, trouvant de plus en plus intéressante cette histoire qui, de prime abord, ne m'avait rien inspiré.

— S'écoulèrent quelques secondes qui me semblèrent une éternité et, comme je n'entendais plus rien, je n'écoutai que mon courage et me résolus à rouvrir les yeux, puis...

Drelin... drelin... fit le maudit téléphone. Qui pouvait bien venir troubler un moment aussi dramatique? Allait-on connaître un jour le dénouement de ce drame devenu passionnant? Ma femme et moi étions maintenant sur les dents.

— *Pronto!* répondis-je nerveusement, me croyant, Dieu sait pourquoi, en Italie. *Entschuldigung...* pardon... *Frau Krajewskaja... moment bitte schön.* C'est pour vous, indiquai-je à Kyra en lui tendant le bigophone. C'est Margaret.

Décidément, cette histoire continuait à sérieusement me troubler.

Un appel de Margaret, marraine de ma fille Nina, ne durant jamais moins d'une quarantaine de minutes, Valentina me fit signe de passer à la cuisine.

— Qu'en penses-tu? Elle me semble tout à fait convaincue et même un peu traumatisée, roucoula mon égérie.

— Hallucination! Chimère! Illusion! affirmai-je catégoriquement, un peu déçu de ne pas trouver un quatrième qualificatif.

— Tu es sévère, s'insurgea-t-elle.

— Mirage! enchaînai-je, content de l'avoir trouvé, ce quatrième.

Avec une célérité qui me surprit moi-même, je dépucelai une autre Paulaner et me la versai jusqu'à la dernière goutte dans cette chope d'un litre appelée ici *mass*.

— Mais t'es complètement cinglé! tonna ma muse, peu habituée à me voir écluser avec une telle éloquence.

— On n'a pas tous les jours l'occasion d'entendre pareilles histoires à faire battre la chamade à son cœur, tentai-je de me justifier. *Prosit* quand même!

Malgré mes bravades, il me tardait d'entendre la suite. Aussi, quand le bruit sec du récepteur qu'on dépose sur son socle se fit entendre, nous nous précipitâmes dans cette salle de séjour qui me servait aussi de chambre à coucher.

Visiblement contente de cet appel, ma belle-mère affichait un large sourire contrastant sérieusement avec la frayeur qui affligeait sa physionomie au moment du drelin-drelin.

— Où en étais-je? répéta-t-elle pour la énième fois.

— Vous alliez ouvrir les yeux, m'empressai-je de lui rappeler, beaucoup plus agité que je ne voulais le laisser voir.

— Ah oui! J'ouvris donc les yeux lentement et mes pires craintes se confirmèrent.

Elle stoppa pour bien s'assurer que nous étions attentifs et pour mieux ménager son effet dramatique.

— Il était là, hirsute et silencieux, m'observant, suspendu à quelques centimètres du pied de mon lit, éclairé faiblement par un rayon de lumière venant de la rue. Tout de suite, je me suis dit: «Mais t'es folle, ma fille! Les fantômes, ça n'existe que dans l'imagination.» Je refermai les yeux pour exorciser cette image et les déverrouillai très lentement tout en me pinçant le dessus de la main jusqu'au sang. Il était toujours là, avec maintenant un rictus qui lui tiraillait le menton. Affreux! Affreux! gémit-elle.

C'est alors que le maudit coucou faillit nous jeter en bas de nos chaises en se mettant à crier comme un perdu. Il sortit, rentra et ressortit douze fois de son nid mécanique.

— Minuit, l'heure du crime, tonnai-je en prenant un air macabre.

Personne ne la trouva drôle.

Depuis longtemps, nous suggérions à Kyra de se débarrasser de cette horloge qu'un défaut mécanique rendait plus bruyante et plus stridente que le pom... pom... exacerbé des ambulances bavaroises.

— Il n'en est pas question, rageait-elle chaque fois. Heinrich me l'a offerte pour mon soixantième anniversaire et jamais, vous entendez, jamais je ne lui ferai l'affront de me débarrasser d'un cadeau dont la valeur sentimentale est inestimable.

Que dire là-dessus ?

Je devais donc me résigner à composer avec ce *cuculus* (nom scientifique du coucou) de bois peint, trônant à quelques centimètres au-dessus de mon lit, mais je me promettais qu'un jour je lui ferais violemment sauter le mécanisme pour tous les réveils en sursaut et toutes les accélérations cardiaques qu'il m'aurait fait subir. Ma vengeance serait terrible et impitoyable. Mais voilà : je serais probablement toujours trop lâche pour mettre ma menace à exécution.

Comme si elle devinait mes noirs desseins, belle-maman me priait régulièrement de faire bien attention de ne pas me cogner la tête sur cet engin de malheur.

Mais, en cette nuit orageuse où elle avait réussi à nous troubler avec cette histoire de Karli ou Charlie, le coucou et sa voix de crécelle avaient sérieusement mis à contribution les quinze milliards de neurones s'épivardant dans notre système nerveux.

Pour ajouter au drame, au moment où cet oiseau de malheur émettait un douzième piaillement, la sonnerie de la porte nous fit sursauter.

— Tiens, tiens, je ne savais pas que les fantômes sonnaient aux portes maintenant. J'avais toujours cru qu'ils passaient à travers les murs, blaguai-je.

— Qui ça peut bien être à cette heure-ci ? s'inquiéta Valentina.

— Sans doute ce brave Karli, re-blaguai-je nerveusement.

— Au lieu de dire des conneries, va donc répondre à la porte, ordonna celle en qui j'avais mis une bonne partie de mes complaisances.

D'un pas plus ou moins assuré, je franchis bravement les trois mètres menant à la porte d'entrée et, d'une voix de mousquetaire prêt à donner l'estocade, je projetai un retentissant : « Qui va là ? »

Derrière moi, dans la lueur blafarde de l'éclairage aux bougies, le visage des deux femmes avait un teint laiteux qu'accentuait le vert foncé de leurs grands yeux effarouchés.

J'hésitais à ouvrir la porte. « Mais qu'est-ce qui m'arrive ? m'inquiétai-je. Serais-je en train de me laisser empêtrer dans un phénomène de psychose collective ? »

Je répétai : « Qui va là ? » d'une voix devenue tout à coup plus fluette.

— C'est moi... Heinrich..., entendis-je à travers la porte.

— Pfiou ! fis-je en faisant glisser la chaînette.

— Mais qu'est-ce qui se passe ici ? Vous êtes tous blancs comme des spectres. Avez-vous vu un fantôme ? demanda, agité, l'ami de cœur de Kyra.

— Pas encore, mais ça viendra si votre compagne continue à nous traumatiser avec toutes ses histoires, répondis-je.

Heinrich enleva tranquillement son loden, passa la main dans ses cheveux de neige et se dirigea vers la cuisine pour revenir, l'air grave et très songeur, avec une Pils Urquell, la plus célèbre de toutes les bières tchèques.

Il y avait chez lui quelque chose d'inquiétant, comme s'il venait de vivre une grande frayeur. Nous étions tout ouïe, car nous sentions qu'il allait se livrer à une importante confidence.

— Il faut absolument que je partage avec vous l'aventure qui m'est arrivée ici même, la semaine dernière. Si je n'en ai pas parlé avant, pas même à Kyra à qui je ne cache jamais rien, c'est que je ne voulais pas passer pour un fou sénile.

Il s'arrêta pour boire une généreuse lampée de cette blonde et légère bière d'outre-frontière et, sans doute aussi, pour se donner le courage de raconter son histoire.

— Imaginez-vous donc que, la semaine dernière, à quatre heures dix-huit exactement dans la nuit de lundi à mardi, je sentis l'appel de la nature. Oh, ce n'est pas qu'à cause de mes soixante-quinze ans je sois affligé d'un sérieux problème de prostate, mais malheureusement je dois satisfaire au moins trois fois par nuit à cette obligation dont je me passerais volontiers.

«Bon, ça y est, me dis-je, nous allons devoir nous taper l'historique des mictions de ce brave Heinrich.» Je me trompais.

— En passant devant la porte d'entrée, j'entendis un drôle de bruit, comme le claquement d'un drap qu'on secoue dans le vide, poursuivit-il.

— Non... c'est pas vrai, réagit immédiatement Kyra.

— C'est la pure vérité, mais laissez-moi terminer. Donc, je levai les yeux et j'aperçus, croyez-le ou non, une tête hirsute émergeant de l'interphone au-dessus de la porte d'entrée.

Mon imagination me jouait probablement des tours, mais j'eus la nette impression que tous ses cheveux se dressaient sur sa tête.

Valentina et moi étions plus blancs que linceuls fraîchement lavés.

Il se fit un silence d'une dizaine de secondes qui nous sembla durer une éternité. Nous nous examinions tous comme si on venait de nous apprendre le plus grand malheur.

Je tentai de me ressaisir en me disant que tout cela n'était que sornettes, mais, loin d'être convaincu, je demandai aux deux septuagénaires, qui, visiblement, n'avaient jamais osé se parler de ces apparitions, de décrire exactement ce qu'ils avaient vu.

Ils avaient vu la même chose, le même fantôme, la même forme, la même tête avec les mêmes détails. Ils avaient entendu les mêmes bruits, qu'ils dépeignaient en utilisant les mêmes mots. Malgré mon scepticisme, j'avouai être sérieusement ébranlé, plus ébranlé que je ne l'avais jamais été depuis mon arrivée sur cette terre. J'avais les nerfs à fleur de peau.

Nous continuions à nous regarder sans mot dire, comme si Charlie nous épiait et attendait le moment propice pour nous apparaître dans toute sa splendeur de fantôme.

Nous vivions un moment extrêmement troublant. De toute évidence, il ne s'agissait pas là d'un phénomène de psychose collective puisque Kyra et Heinrich avaient vu le fantôme dans des lieux et à des moments différents, sans oser s'en parler.

Ma belle-mère fut la première à réagir. Elle avala d'abord un ultime Noger et, après s'être assurée qu'elle avait bien capté notre attention, elle nous annonça une révélation qui achèverait de nous convaincre qu'il se passait bien quelque chose de bizarre dans cet appartement.

— J'ai une confidence à vous faire. Vous connaissez Sacha Starshinov ?

Nous fîmes tous signe que oui d'un léger mouvement de tête. Starshinov, un ami moscovite de Kyra, peintre et dessinateur de métier, venait régulièrement exposer à la galerie Kandinsky située à moins d'un kilomètre de notre appartement. Ma belle-mère, cette grande âme dont l'hospitalité était devenue légende dans tout le quartier de Schwabing, donnait le gîte à tous ses amis russes dont les ressources ne leur permettaient pas de loger à l'hôtel, même le plus modeste.

Nous avions tous bien hâte de savoir ce que Starshinov venait faire dans cette histoire.

— Sans lui dire de quoi il s'agissait, j'ai fait la description de Charlie à notre ami et lui ai demandé d'en faire un dessin. Croyez-le ou non, le résultat est tout simplement hallucinant.

— Si je comprends bien, vous avez ici quelque part le portrait d'un fantôme ! fit Valentina, dont le ton ne pouvait cacher l'inquiétude qui l'habitait.

— Mais qu'est-ce que vous attendez pour nous le montrer ? ajoutai-je d'une voix qui se voulait ferme, mais qui ne trompa personne.

— Le voici ! s'exclama-t-elle d'un ton dramatique que n'aurait pas renié la grande tragédienne Hilde Krahl, dont la renommée n'avait malheureusement jamais dépassé les frontières de la Bavière et du Baden-Württemberg.

Tous nos yeux se fixaient sur Heinrich, qui pourrait ou non nous confirmer qu'il avait eu la même apparition.

Sans aucune hésitation, sans même jeter un deuxième coup d'œil, il fit cette révélation bouleversante :

— C'est bien lui.

Et il jeta le dessin au fond de la pièce comme s'il venait de toucher la queue brûlante de Lucifer.

À ce moment bien précis, toutes mes croyances et tous mes doutes subirent un choc existentiel qui fut accentué soudainement par le bruit saccadé d'un pas très lourd gravissant péniblement les marches de l'escalier.

— Ça y est ! Il est à notre porte ! s'affola Valentina. Mais va voir ! Aurais-tu la trouille ? me défia-t-elle.

— Moi ! La trouille ! m'exclamai-je, insulté mais plus mort que vif.

Je fis mine de m'extirper de mon fauteuil, mais ne réussis qu'à demi. Mes jambes flageolaient comme celles d'un bébé à ses premiers pas.

J'étais heureux que nos deux filles soient en train de dormir comme des bienheureuses et n'aient pas à subir les angoisses de cette nuit sans lune et, surtout, qu'elles n'aient pas à perdre toutes leurs illusions concernant la bravoure de leur père, ce héros.

Les pas se rapprochaient et semblèrent tout à coup s'arrêter en face de notre porte.

Dans un effort gigantesque et en essayant de me convaincre que tout cela n'était que pure folie, je réussis enfin à retrouver une certaine vigueur physique et morale pour me déraciner de ce maudit fauteuil et faire face à la musique. Saisissant un tisonnier au passage, je fonçai sur la porte que j'ouvris d'un geste brusque pour me trouver devant le mari de la concierge, plus soûl que douze Polonais en cavale.

— *Haben Sie etwas zu trinken?* Avez-vous quelque chose à boire? éructa-t-il en s'accrochant à la rampe de l'escalier.

J'eus tout juste le temps de l'attraper par la manche de sa veste et de l'empêcher de basculer. C'eût été une chute, très certainement mortelle, de trois étages sur du marbre de Sicile.

Péniblement, je le ramenai à sa digne épouse, qui voulut m'expliquer pour la énième fois comme elle était malheureuse de vivre avec pareil ivrogne, pareil déchet de la société dont le seul plaisir consistait à picoler à longueur de journée. De guerre lasse, je l'interrompis en lui lançant méchamment en français:

— Vous l'avez marié pour le meilleur et pour le pire, *Frau* Saft. *So, gute Nacht und schöne Traume!*

Je n'avais pas aussitôt terminé ma phrase que Saft s'effondrait sur le parquet fraîchement ciré du hall d'entrée, non sans avoir lancé un ultime «*Prosit!*»

— Quelle nuit! Non, mais quelle nuit! m'exclamai-je, quand même heureux que cet incident soit venu détourner mon attention du ridicule climat de peur créé par cette histoire que ma belle-mère avait presque réussi à me faire croire.

« Et pourtant, réféchis-je, il y a là des coïncidences assez étonnantes. » Je n'eus pas le loisir de pousser mon raisonnement plus loin. Un coup de tonnerre d'une force inouïe vint presque nous déchirer les tympans, suivi de cris aigus émanant, constatai-je avec horreur, de notre appartement. Il me sembla reconnaître les voix de mes filles Julia et Nina.

— Mon Dieu! Mon Dieu! émis-je en descendant quatre à quatre les seize marches menant à notre appartement.

Je maudissais cet ivrogne de Saft qui m'empêchait d'être là pour protéger les miens. Au moment où je franchissais le seuil, un autre retentissant coup de tonnerre accompagné d'une multitude d'éclairs multicolores striant le ciel tous azimuts me firent croire que l'Apocalypse était à nos portes.

— Ne craignez rien, j'arrive! rugis-je en me présentant devant ma famille dont le calme, dans des circonstances aussi terrifiantes, me parut un peu suspect.

— Calme-toi, fit Valentina. C'est seulement un orage.

Je jetai un coup d'œil à la ronde: elles étaient toutes là, Valentina, Kyra, Nina et Julia. Heinrich, de son côté, s'affairait à fermer les fenêtres.

— Dieu soit loué, tout le monde est sain et sauf! m'exclamai-je en aidant les deux filles à rallumer les bougies que le vent avait soufflées au premier coup de tonnerre.

J'essayais de cacher le léger tremblement qui agitait ma main allumeuse, c'est-à-dire la droite.

— Mais tu trembles! trompeta Valentina.

À mon grand étonnement, ils avaient tous retrouvé une certaine lucidité, comme si l'orage avait détourné leur attention de cette histoire de Charlie. C'est avec le plus grand détachement que ma belle-mère, à l'origine de toute cette commotion, nous annonça calmement qu'elle allait se coucher. Elle nous suggéra de faire de même. Dame Nature donnait également l'impression de vouloir s'apaiser et les échos lointains des derniers coups de tonnerre se perdaient doucement dans les Alpes environnantes.

— Bonne nuit et n'oublie pas ta promesse pour demain, me rappela Valentina.

— Non, n'oublie pas, papa! firent mes deux filles à l'unisson.

— Soyez sans inquiétude, je n'oublierai pas, répondis-je, sans me souvenir de ce que j'avais promis.

Julia couchait avec sa grand-mère, Nina avec sa mère et Heinrich dans la pièce attenante à la cuisine. Quant à moi, j'habitais cette salle de séjour encore tout imprégnée de la douce odeur de cire fondue et du parfum des quatre femmes avec qui je passais mes étés.

Je m'attardai quelque temps à la fenêtre, histoire de me livrer à une séance d'introspection et d'essayer de faire la lumière sur l'agitation des dernières heures. La lune, prétentieuse dans toute sa rondeur, se détachait nettement des cirrus qui subsistaient dans le ciel presque complètement dégagé. Une légère brise vint sécher les quelques gouttes de sueur qui perlaient toujours sur mon visage inquiet. C'est du moins ce que me renvoyait mon reflet dans la vitre.

Ah! je n'étais pas fier de moi! Pour quelqu'un qui prétendait se moquer de ces histoires de fantôme, j'avais agi comme le dernier des pleutres au vu et au su d'une partie de ma famille.

— Je n'y crois tout simplement pas et je n'y croirai jamais! lâchai-je à haute voix dans la nuit, comme pour défier tous ces... tous ces... tous ces quoi, au fait? J'avais presque failli prononcer le mot fatidique. Heureusement, je m'étais retenu à temps et n'avais pas dit: «fantômes».

— Tu ne l'as pas dit, mais tu l'as néanmoins pensé, se moqua l'aval de mon conscient.

— Il a raison, renchérit l'amont du même conscient.

Vaincu par le pourtour de ce maudit conscient et avant de me laisser envahir par d'autres psychoses, je décidai d'aller à la cuisine étancher ma soif. Il me fallait parcourir le long corridor de l'appartement et passer devant la porte d'entrée.

J'eus beau me persuader que Charlie n'était qu'un mythe, je n'osai pas lever les yeux en passant sous l'interphone.

— Maudit froussard! m'accusai-je, bien déterminé à régler le problème de ce satané spectre dès que mes billes se remettraient à fonctionner normalement.

Je n'étais qu'à mi-chemin quand la cloche de la petite église de la place Franz Josef sonna deux heures en même temps que le sacré coucou me faisait sursauter une fois de plus en grinçant méchamment de la crécelle. Cette nuit-là, je dus utiliser le vieux truc des couleurs pour enfin trouver le sommeil : le rouge, l'orange, le jaune, le vert, le bleu, le lilas, alouette!

* * * * *

Toujours est-il qu'en ce dimanche deux juillet, il pleut toujours sur Munich et probablement sur toute la Bavière. La vieille est toujours dans sa fenêtre, absente, évanescente, distante, déjà passée de vie à trépas dans un autre monde qui ne me semble pas particulièrement folichon, si j'en juge par son visage fermé et malheureux.

J'en ai assez d'écouter le silence. Autre coup d'œil à ma montre-chronomètre : huit heures. Je presse l'oreille contre le mur dans l'espoir d'entendre un son, une bribe de vie. Rien! Pas le moindre petit ronflement, même pas une goutte d'eau égarée tombant dans le lavabo ou la baignoire de la salle de bain. Un silence solide, ferme, immuable, incontournable. J'en ai marre ! Au diable Morphée, au diable la pluie, j'enfile mes Nike et mon short et, avec le plus de discrétion possible, je me retrouve seul dans la rue, en espérant que mes glandes endomorphines s'épanouiront à l'effort pour m'entraîner dans cette euphorie propre au coureur de fond et sauront exorciser toutes ces images de fantômes et de mort.

Je monte la rue Franz Josef d'un pas alerte et vigoureux pour aboutir au boulevard Leopold, considéré à juste titre comme les Champs-Élysées de Munich. Deux kilomètres plus loin, je franchis l'Arc de triomphe de Ludwig, le roi fou, pour me retrouver place de l'Odéon. Une fine pluie m'aide à m'oxygéner et je sens, dans mes jambes et dans ma caboche, une verve inhabituelle. Je suis devenu gazelle. Je suis entouré, écrasé de monuments, de vieilles pierres et d'histoire. J'ai l'impression de courir entre les murs d'un gigantesque musée, d'une énorme cathédrale.

Marienplatz déserte me donne la sensation de posséder la ville, et les très rares piétons que je croise me semblent être des intrus que je n'ai pas invités. Ce sont des touristes japonais en train de photographier tout ce qu'ils peuvent. Ils m'immortalisent au passage à travers un concerto de hi... hi... et de ha... ha... Ils se taperont probablement une pinte de bon sang à leur retour au pays du Yen Levant en montrant à leurs amis la photo de ce grand dadais qui, un dimanche matin pluvieux, imbécilait dans les rues de Munich. Grand bien leur fasse ! Je sais que c'est moi qui ai raison. Mes endomorphines venaient de se déployer dans toute leur splendeur et je vivais l'euphorie des grands jours. Plus rien ne pouvait m'atteindre : ni la douleur ni la fatigue. J'espérais que ça durerait !

— Merde à vous et continuez à nipponer avec vos boîtes à clichés, et mes amitiés au Sage des Śākyas, leur lançai-je à distance pendant qu'ils me saluaient de la main tout en continuant à se fendre la pipe.

Je débouchai sur la place Sendlinger à peu près déserte. Seuls deux clochards cuvaient leur nuit sous la marquise d'un grand magasin de tapis. Cette place Sendlinger, agrémentée d'une porte datant du quatorzième siècle, était ceinturée de plusieurs restaurants, cafés et salles de cinéma et s'animait, les jours de semaine, dès le lever du soleil.

Pour moi, cette place m'indiquait que j'avais parcouru cinq kilomètres. C'était aussi un point tournant. J'avais le choix entre revenir sur mes pas ou passer par le quartier de Stacchus, un des plus animés même un dimanche matin, puisqu'on retrouvait là la gare toujours très vivante avec sa multitude de voyageurs venant de tous les pays du monde.

Le temps que mes neurones, dendrites et axones se mettent d'accord, j'avais déjà accroché mes jambes à mon cou et je prenais la direction de la gare, sous les invectives d'un des deux clochards sans doute insulté d'avoir été tiré de sa torpeur par les échos de ma foulée piocheuse.

Je contournais Sendlinger pour m'engager dans Sonnenstr. (str. pour rue) lorsqu'une Mercedes 380 SE filant à toute allure souleva une flaque d'eau qui m'aspergea des pieds à la tête, tout en m'aveuglant temporairement. J'étais plus trempé que Noé et Outa Napishtim aux plus beaux jours du grand Déluge. Sans ralentir ma course, je montrai le poing, fis ensuite un bras d'honneur, pour finalement pointer le majeur en direction de la voûte céleste, en espérant que ce goujat m'aperçoive dans son rétroviseur. Mes vœux ne furent pas exaucés. Comment le sus-je? C'est qu'en Teutonie on ne badine pas avec le majeur pointé, qui peut vous conduire directo en taule si le visé réussit à prouver devant la magistrature que vous avez fait ce geste, lequel constitue l'insulte suprême dans cette région du monde où un coup de poing dans la gueule est plus acceptable que l'érection du doigt en question.

« Dans le fond, me dis-je, vaut mieux qu'il ait passé son chemin. »

La perspective de terminer mes vacances dans une prison munichoise avec des disciples de Baader-Meinhof ne me séduisait pas particulièrement.

Cet incident avait ralenti ma belle humeur, d'autant plus que mes endomorphines réintégraient tranquillement leurs cellules et que je commençais à ressentir une certaine lourdeur au genou gauche : une légère tendinite qui, les jours d'orage et de bataille, encerclait le bas de ma cuisse et écœurait quelques ligaments un peu tordus.

— Une vieille blessure de football, expliquais-je à tous ceux qui s'en inquiétaient.

« Excellent pour mon C. V. », ajoutais pour moi-même et mon ego. Un peu comme ces vieux militaires qui justifient leur claudication en vous lançant : « Une vieille blessure de guerre. Ah ! c'était le bon temps. » Enfin, on a les bons temps qu'on peut.

Je m'essorai tant bien que mal et repris ma route, la rage au cœur et avec une détermination que n'auraient pas reniée les chevaliers Teutoniques avant qu'Alexandre Nevski ne leur balançât une dégelée sur les bords du lac Tchoudsk, il y a de cela quelques lunes.

Espérant que le sort me réserverait un destin plus clément, j'augmentai ma foulée et, dans un sprint désespéré, je parvins à coiffer une vieille dame très digne, juste avant de franchir le seuil de la gare.

Je levai les bras en signe de victoire pendant qu'elle m'invectivait et que son clebs, un infect caniche à poil frisé marron, cherchait à me mordre les talons.

Modeste dans mon triomphe, je pris le parti de ne pas répliquer aux insultes de la pauvre vaincue. Je me contentai simplement de faire une grimace à son chien.

Ah ! les chiens de Munich ! On ne pouvait pas faire un pas sans buter sur un berger, un basset, un doberman ou un *rottweiler*. Il y a plus de chiens que d'habitants dans cette ville par ailleurs fort proprette. Il fallait surtout faire gaffe, aux petites heures du jour, quand les Munichois, presque d'un commun accord, envahissaient les rues et les parcs pour permettre à leurs clébards de se soulager de leur trop-plein. Heureusement, la municipalité, soucieuse de protéger sa réputation de ville citée en exemple dans toute l'Allemagne pour sa civilité et sa culture, veillait quotidiennement à éliminer ces jolis petits tas bien fumants, grâce à une armée de réfugiés en majorité turcs, dans l'esprit de qui l'empire ottoman avait perdu passablement de son lustre depuis les beaux jours d'Ali Pacha de Tebelen. Mais voilà que je m'égare dans cette gare où, en ce matin pluvieux et morose, des témoins de Jéhovah tentent discrètement de me refiler quelques tracts vantant les mérites du baptême par immersion tout en soulignant le mal causé par le divorce. Ça tombe bien, pour moi qui suis un divorcé de fraîche date. Me souvenant de Maurice Le Noblet Duplessis, ce noble premier ministre québécois qui les persécuta naguère dans les années d'après-guerre, je leur fis plaisir en acceptant leurs pamphlets que je m'empressai, quelques mètres plus loin, de jeter au fond d'une poubelle.

— Ah ben, maudit, si c'est pas... si c'est pas... Voyons, aide-moi, Annette. Tu sais ben... le gars de la Tivi...

— Je sais-ti, moué, je regarde jamais ça la maudite Tivi.

Et moi qui me demandais souvent pourquoi les Québécois ne visitaient jamais la capitale de la Bavière, voilà que j'étais servi à souhait. Deux tabarnacos, tout ce qu'il y avait de plus tabarnacos avec leurs chemises hawaïennes multicolores et fruitées assorties à leurs bermudas vert-de-gris. Elle tenait à la main un exemplaire d'*Allô Police* et lui, une bouteille de Löwenbräu à moitié vide.

— Ça vaut pas une bonne Mol, mais ça rentre quand même ben iousque ça rentre. Coudon, c'est quoi votre nom déjà ? Je l'ai su le boutte de la langue...

— Klaus Otto von der Merde, répondis-je méchamment en m'éloignant. *Alles gut und gute Reise.*

— En tout cas, y y ressemble en ci...

Je n'eus pas le loisir d'entendre s'il allait utiliser le mot ciboire, ciboite ou cibole, je m'étais promptement réfugié dans la boutique de la Presse Internationale. Je fis le plein de journaux et de magazines pour me rendre compte, au moment de payer, que j'avais laissé mon argent à la maison.

— *Mehr Glück beim nächsten Mal* (meilleure chance la prochaine fois), me lança la vendeuse narquoisement et sadiquement, en reprenant son bien.

Elle avait prononcé ces mots suffisamment fort pour que tous les clients se retournent et me donnent l'impression que j'avais commis un crime très grave.

Je quittai la boutique, la queue entre les jambes et la tête basse, pour me buter au couple de tabarnacos s'apprêtant à sauter dans le train qui devait les conduire à « Vienne, ville exquise », comme le dit la chanson.

— C'est pas possible comme y y ressemble, insista l'homme en s'immobilisant.

— Dépêche-toué donc, on va manquer notre train. De toute façon, tu voués ben que c't'un grand maudit snob de boche, conclut la charmante Annette.

Décidément, c'était ma journée.

Fortifié et mis en joie par cette gracieuse rencontre, je retrouvai mon élan et pris la décision, histoire d'ajouter à mon bagage culturel, de revenir chez moi par Arcistr., la rue de la culture par excellence avec tous ses musées, ses écoles de musique et d'arts plastiques. Sauf qu'il s'était remis à pleuvoir de plus belle, au point que je dus m'arrêter sous le porche d'un restaurant au coin d'une rue qui portait le joli et tendre nom de Schilling. N'ayant rien d'autre à faire que de lire le menu affiché à la droite de la porte d'entrée, je fus tout de suite impressionné par les prix. Passe encore qu'un *See Teufel Osteria* se détaille dans les 78 DM, l'équivalent de 75 $ pour ce poisson méditerranéen plus laid que toutes les barbotes des lacs laurentiens, mais que des simples *Tagliatelle mit Pfefferlingen* vous coûtent dans les 56 DM, là vous me permettrez de décrocher. Jamais je ne paierais 52 $ pour quelques pâtes agrémentées de quelques champignons, si exotiques fussent-ils. Et les vins alors! Le moins cher, un Barbaresco Riserva (Franco Fiorentina) s'affichait prétentieusement à 98 DM et le Barbaresco (Angelo Gaja), moins modeste, à 155 DM. «Mais les dieux sont-ils tombés sur la tête?» éclatai-je, me souvenant vaguement d'un titre de film vu quelques années auparavant.

Non, jamais, au grand jamais, je ne mettrais les pieds dans une gargote pareille. Quelques jours plus tard, j'allais m'y retrouver avec ma charmante compagne, pour qui les mots banqueroute et faillite ne faisaient pas partie du vocabulaire.

Je risquai un coup d'œil à travers la vitre et distinguai ce qui me semblait être un décor d'un luxe inouï, même s'il était un peu suranné. Je crus voir tout à coup une ombre se profiler le long des tables. Décidément, ces maudites histoires de fantômes commençaient à sérieusement obscurcir mes facultés, d'autant plus qu'il était bel et bien indiqué au-dessus de la porte que l'Osteria Bavaria était fermée le dimanche. Instinctivement, je tournai la poignée de la porte, qui résista avec succès. Il me sembla alors entendre des bruits confus venant de l'intérieur, comme des verres qu'on choquait les uns contre les autres, suivis d'un amalgame de sons d'où semblaient se détacher de vigoureux *Heil Hitler!* Étais-je en train de devenir complètement gaga? Les événements des dernières heures m'avaient-ils à ce point embué les pédoncules cérébraux que, comme la pucelle d'Orléans, j'entendais maintenant des voix?

Pour ne rien me cacher, j'étais sérieusement troublé. Je notai l'adresse dans ma pauvre tête, avec la ferme intention de m'informer, sinon d'enquêter, sur les phénomènes particulièrement troublants que je venais de vivre.

Dame Nature semblant vouloir revenir à de meilleures dispositions, je risquai un dernier coup d'œil et collai une dernière oreille contre la cloison : rien !

Je me remis donc en course et je franchis avec succès les derniers kilomètres me séparant du domaine familial. Je me butai à *Herr* Graf, qui me salua en claquant des talons tout en me lançant un *Schöner Tag*, même si la pluie n'avait pas tout à fait cessé. De toute façon, qu'il fît beau ou mauvais, pour ce brave monsieur, c'était toujours *Schöner Tag*, belle journée.

Herr Graf — aucun lien de parenté avec Steffi — n'était pas très grand, peut-être un mètre soixante-cinq.

Son crâne aussi démuni qu'une boule de quilles était presque toujours recouvert d'un feutre noir à la Aristide Bruant, qui cachait la partie supérieure de son visage : un ovale percé de deux yeux fouineurs au-dessus de lèvres très minces et d'un menton fourchu.

Il y avait une certaine noblesse dans sa démarche et les vieilles dames lui trouvaient un charme certain. En dépit de son âge presque canonique, elles se retournaient sur son passage en faisant des ronds de jambe qui laissaient l'octogénaire complètement indifférent.

Il avait d'ailleurs un fils, jeune éphèbe âgé d'une trentaine d'années, qu'il avait adopté et dont il avait fait son héritier.

— Comme c'est dommage, disait souvent ma belle-mère. Un homme si distingué et si charmant.

Herr Graf — selon la légende — avait vingt-deux ans quand fut déclenchée la Deuxième Guerre mondiale. Issu d'une famille patricienne pour qui Hitler n'était qu'un vulgaire agitateur sans principes et sans armoiries, papa Graf et sa famille fuirent au Liechtenstein, où ils passèrent une douzaine d'années grâce aux bons offices du grand duc et de la grande duchesse.

Une fois les cendres plus ou moins dispersées, Graf devenu orphelin revint au bercail pour découvrir avec horreur que la maison familiale avait été détruite par les bombes et que, de toute façon, tout le territoire était maintenant investi par les G. I. américains, qui régnaient en maîtres absolus sur toute la Bavière.

Après des mois de vaches maigres, il dénicha un emploi comme maître d'hôtel dans le grand restaurant de l'hôtel le plus huppé de Munich, le Vier Jahreszeiten qui, rapidement, retrouva sa réputation et sa « huppe » en recommençant à accueillir les grands de ce monde : Churchill, Eisenhower, Marshall, Montgomery et *tutti quanti*, qui venaient épisodiquement y déposer leurs pénates et leurs galons.

Graf jure même sur ses grands dieux que le sanguinaire Josef Staline y passa une nuit, incognito, en compagnie de son fidèle Viatcheslav Molotov, célèbre pour sa durabilité et ses cocktails : cocktails auxquels ils firent honneur dans une beuverie sans précédent qui laissa les pauvres filles de chambre sans voix quand elles découvrirent la suite présidentielle sens dessus dessous, le lendemain.

Toujours selon Graf, les deux larrons se seraient amusés à jouer aux dards sur une photo de Sir Winston Churchill ; histoire difficile à avaler, car je soupçonne notre élégant voisin de fabuler légèrement à l'occasion.

— En effet, belle journée pour les fleurs, les plantes, les poissons et les coureurs en mal d'oxygène, répondis-je en québécois des plaines d'Abraham.

N'ayant rien compris et ne voulant pas perdre la face, lui qui se targuait de parler la langue de Molière et de Plume Latraverse, il m'asséna probablement les seuls mots français qu'il connaissait :

— Le jour de gloire est arrivé !

— Allons, enfants de la patrie ! répliquai-je du tac au tac.

Spontanément, nous étions en train de rendre un hommage posthume au sieur Rouget de Lisle, compositeur du *Chant de guerre pour l'armée du Rhin*, mieux connu sous le nom de *La Marseillaise*, cet hymne au sang et à la guerre qui continue à embraser tout un peuple digne descendant des Charlemagne, Hughes Capet, Louis XIV, Napoléon et Jean-Marie Le Pen.

Il allait poursuivre sur sa lancée révolutionnaire quand une série de ouh... ouh... et de ah... ah... se situant à mi-chemin entre le mezzo, l'alto et le coassement vint interrompre notre patriotique et ridicule prestation.

Derrière cette voix gravement enrouée apparut dans toute sa splendeur notre voisine de l'étage du dessus, la célèbre comédienne et chanteuse *Frau* Elsa Hartung.

Elle n'avait pas aussitôt franchi le seuil de notre porte commune qu'elle fut prise d'une violente quinte de toux.

— *Mein Gott, sie stirbt!* Mon Dieu, elle rend l'âme! s'exclama *Herr* Graf en paniquant.

— Le ciel vous entende! lançai-je spontanément, surpris de me découvrir capable de pensées aussi morbides.

Nous nous acharnâmes à lui administrer une flopée de tapes dans le dos qui se transformèrent bientôt en une véritable raclée: c'est qu'elle était tenace, la diva.

Après avoir craché ses poumons, ses entrailles et une partie de sa glotte, elle retrouva lentement son souffle et ses esprits.

Plus cramoisie qu'une nonne prise en flagrant délit d'adultère, elle eut la force d'extirper de son fourre-tout un long fume-cigarette à bout d'ambre et d'y accrocher maladroitement un cigarillo. Goulûment, elle avala la fumée qu'elle redirigea voluptueusement vers l'infini en une série de volutes bleutées et bien rondes du plus joli effet.

— *Sie ist verrückt!* Elle est folle! me susurra Graf à l'oreille. Se tuer à petit feu, si jeune.

— Peut-être est-ce un mal pour un bien, fis-je assez bas pour qu'on ne m'entende pas.

Rassérénée, comme si de rien n'était, la magnifique Elsa exécuta un élégant mouvement de croupe et nous coassa:

— *Dieses wetter ist shrecklich für die stimme.* Ce temps humide est terrible pour la voix.

Eurêka ! explosai-je tout à coup, venant de trouver réponse à une question que je me posais depuis un bon moment.

Frau Hartung était en un peu plus jeune, mais tout autant amochée, la réplique exacte de Norma Desmond, l'héroïne fêlée du film *Sunset Boulevard* de Billy Wilder.

Une longue chevelure, noire comme jais, couvrait ses frêles épaules. Sous ses yeux sombres, deux épais traits noirs accentuaient son teint blafard. Ses lèvres minces étaient peintes de blanc. Une robe noire qui lui descendait jusqu'aux chevilles achevait de lui donner une image apocalyptique que seule troublait une vieille queue de renard enroulée autour de son maigre cou et qui cachait deux seins maigres en forme de banane.

Elle entreprenait ce matin-là, nous expliqua-t-elle, les répétitions de cette poussiéreuse et vétuste opérette *Im weissen Rössl am Wolfgang See*, qui fit aussi un malheur au Mogador à Paris au début du siècle sous le titre de *L'Auberge du Cheval blanc*.

La légende veut que les célèbres tragédiennes Sarah Bernhardt et Réjane en vinrent aux coups et au crêpage de chignon pour obtenir le premier rôle féminin, mais le producteur avait déjà opté pour sa maîtresse, une cocotte jusque-là inconnue du nom de Florence Balard. Totalement dépourvue de talent, la pauvre Florence fut à ce point chahutée, le soir de la première, que son amant n'eut d'autre choix que de la remplacer.

Cette opérette intéresse suffisamment un tas de vieux nostalgiques pour qu'on la remette à l'affiche au moins tous les deux ans dans diverses villes d'Allemagne, d'Autriche, de Hongrie et même de France et de Navarre. *Frau* Hartung avait bâti sa réputation sur ce chef-d'œuvre de l'art guimauve et on faisait toujours appel à ses services, bon an mal an, pour qu'elle reprenne le rôle qui avait fait démarrer sa carrière.

Mensuellement, elle participait à l'émission télévisée *Erkennen Sie die Melodie*, mélange d'extraits d'airs d'opérettes et de jeu-questionnaire mettant à l'épreuve les connaissances opératiques et opérettiques de centaines de de milliers de téléspectateurs.

Elle nous salua d'un geste ample et alla son chemin, en continuant à faire ses vocalises sans que les passants s'en soucient. Elle était bien connue dans le quartier de Schwabing et personne ne se surprenait plus de ses excentricités.

J'en profitai pour offrir mes hommages à *Herr* Graf et claquai moi aussi des talons. Ne s'en dégagea qu'un bruit sourd et sans panache ; je portais mes chaussures de course.

Quatre à quatre, je grimpai les escaliers et faillis décapiter, dans mon élan, *Herr* Saft qui, le teint gris et l'œil torve, s'en allait au bistro le plus proche, histoire de récupérer de sa cuite de la veille.

— *Entschuldigung,* m'excusai-je sans trop de conviction.

— #"%*&##, baragouina-t-il, en envoyant une série de postillons que j'évitai de justesse.

Cette loque d'entre les loques ne me remercia même pas de lui avoir sauvé la vie, la nuit précédente.

Je le regardai descendre péniblement les quelques marches menant à la rue. Il ne lui restait que la peau et les os. Il portait un vieux blouson troué aux coudes que lui avait refilé, plusieurs années auparavant, le célèbre Franz Beckenbauer, footballeur-vedette du fameux « Bayern München », l'équipe la plus célèbre d'Allemagne.

Herr Saft avait deux passions : le football et la dive bouteille. Malheureusement pour lui, sa carrière de footballeur s'interrompit lorsqu'un tacle vicieux lui brisa le tibia à trois endroits.

Malgré les exhortations de ses proches, il commença à boire comme un déchaîné et n'a pas cessé depuis. Cela se passait il y a une dizaine d'années.

Sa femme dotée, Dieu sait par quelle ironie, du prénom de Apfel devint donc madame Apfel Saft ; ce qui en français se traduit par « madame jus de pomme ». Mes filles, Julia et Nina, quand on leur présenta cette charmante personne, crurent qu'il s'agissait là d'une blague et ne purent contenir leurs rires, au grand dam de madame jus de pomme qui leur jeta des regards de braise.

Je dois dire que, depuis, les relations se sont nettement améliorées, d'autant que nous plaignons *Frau* Saft d'avoir hérité d'un tel boulet.

— *Er ist wirklich ganz voll cheisse*, paroles qui, dans la bouche de cette menue et modeste dame, n'étaient pas sans surprendre.

Vous remarquerez, chers lecteurs, que, cette fois-ci, j'ai choisi de ne pas traduire cette affirmation de madame jus de pomme, de peur de blesser vos chastes oreilles. Je vous conseille donc de consulter un ami, si vous en avez, qui connaît la langue de Rilke ou de vous inscrire chez Berlitz ou encore au Gœthe. (Publicité gratuite, mais ni dans un cas ni dans l'autre, je ne vous donnerai les numéros de téléphone.)

— Enfin ! te voilà ! m'accueillit généreusement ma femme au moment où j'allais franchir le pas de la porte.

L'appartement sentait bon le café et la saucisse blanche, cette fameuse *weisswurst* qui continue à faire les délices des descendants de Henri Ier dit l'Oiseleur et de Frédéric Barberousse dit le Croisé. Pour ma part, depuis le temps que ma chère belle-mère m'en gavait, je m'en serais volontiers passé. Mais pour maintenir mes bonnes relations avec belle-doche, j'acceptais tous les dimanches matin de faire semblant d'apprécier cette chose goûtant un peu le plâtre.

— *Essen !* chantonna-t-elle à la ronde.

Nous nous précipitâmes tous en direction de la cuisine où nous attendaient une pleine carafe de café moka fumant, une corbeille remplie de pain noir et un monceau de *weisswürste*.

« Pouah ! » fis-je intérieurement, me souvenant avec nostalgie de ces petits déjeuners bien de chez nous et bien cholestérolisés d'œufs au bacon, de crêpes au sirop d'érable et de toasts au pain Durivage.

— *Was ist los ?* Qu'as-tu ? s'insurgea belle-maman, qui crut déceler chez moi un air de dédain.

— Euh... euh... trouvai-je à répondre avec beaucoup de spontanéité.

Valentina, qui n'avait rien perdu de ma réaction et qui pouvait me deviner comme si elle m'avait tricoté, s'empressa de rétablir la situation :

— Il a passé une très mauvaise nuit et, après sa balade de ce matin, il est sans doute affamé, mentit-elle en m'enfournant deux de ces joyeuses saucisses blanches.

Je les mastiquai lentement, puis, dans un effort suprême, les avalai, tout en affichant mon plus beau sourire.

— Tu n'as pas oublié ta promesse ? me firent presque simultanément mes deux filles.

— Je n'oublie jamais une promesse, répliquai-je, le regard vide.

— À quelle heure partons-nous ? me fit Valentina.

— Bien... quand vous voudrez, hésitai-je.

J'allais avouer le grand trou qui transperçait ma pauvre mémoire lorsque tout à coup je me souvins : nous allions cueillir des champignons dans la forêt d'Ebersberg, cette oasis de verdure où la faune et la flore faisaient excellent ménage.

* * * * *

Cela faisait partie de notre tradition. En effet, tous les dimanches de juillet et d'août, nous partions gaiement, chacun avec notre petit panier d'osier, rejoindre la multitude de Munichois qui avaient la même idée que nous.

Toutefois, n'est pas mycologue qui veut. Malgré tous les enseignements de ma femme, une véritable spécialiste, une vraie de vraie, je ne pouvais toujours pas faire la différence entre un champignon comestible, un champignon vénéneux ou un champignon de couche.

Aussi quand mon égérie, avec beaucoup d'insistance, me fit ses recommandations sur ceux qu'on pouvait manger et ceux qu'il fallait rejeter sous peine de périr d'une mort affreuse dans les minutes qui suivaient, je décidai de m'amuser en cherchant quelques tours pendables à lui jouer.

La forêt d'Ebersberg se déployait sur un immense territoire, à une quarantaine de kilomètres de Munich, tout près de Eglhart, un petit village n'offrant rien de particulier si ce n'est qu'y habitait Sepp Maier, l'un des plus grands gardiens dans l'histoire du football allemand, l'équivalent chez nous d'un Jacques Plante, par exemple. Maier était si célèbre qu'on retrouvait son nom dans certains dictionnaires.

Pourquoi est-ce que je vous parle de Sepp Maier ? À vrai dire, je n'en sais rien. Peut-être simplement parce que j'ai toujours conservé cette faculté de m'émerveiller devant les exploits d'athlètes ou d'êtres humains qui se sont transcendés, même si certains d'entre eux sont de purs crétins dans la vie de tous les jours. Alors, je dis : « Salut, mon vieux Sepp, mais je préfère ne jamais te rencontrer de peur d'être déçu. »

— Tout le monde est prêt ? Alors en route !

La BMW d'Heinrich nous attendait à quelques coins de rue, à environ deux kilomètres pour être plus précis, car la ville de Munich, forte, grosso modo, de un million trois cent mille habitants, était aussi forte d'environ deux millions, six cent mille automobiles : des Mercedes toutes dimensions et pour toutes les bourses, des BMW, des Audi et pour les moins nantis des Opel, des Volkswagen et autres tacots qui ne valent même pas la peine d'être mentionnés. Car il faut savoir que, pour un Allemand, seule une voiture allemande mérite de sillonner les rues et les *autobahn* germaniques.

Si donc Munich possède, de l'avis de ses habitants et d'une grande partie de l'univers teuton, une qualité de vie admirable, la prolifération des véhicules automobiles jette néanmoins une ombre importante sur une autrement parfaite harmonie.

Cet état de choses influe aussi de façon tangible sur le caractère des Munichois, dont la joie de vivre et la patience sont très souvent hypothéquées par des bouchons innommables et par l'absence d'espaces de stationnement et de garages.

Combien de fois ai-je été témoin d'engueulades poivrées et de règlements de compte à coups de poing ou à coups de pied pour l'obtention d'un de ces rares espaces.

Ma moitié pourtant si douce, mais qui n'a pas toujours la langue dans sa poche et qui ne la retourne pas toujours sept fois avant de jeter sa hargne sur qui vient chatouiller sa susceptibilité, mit dans un tel état de rage un automobiliste à qui elle avait adressé un bras d'honneur qu'il la poursuivit sur une distance de trois kilomètres. Après avoir brûlé trois feux rouges au risque de sa vie, elle dut s'immobiliser derrière un énorme bouchon et aperçut, dans son rétroviseur, le forcené qui descendait de sa voiture, une clé anglaise à la main. Elle eut à peine le temps de verrouiller toutes les portières et de fermer les fenêtres que le furieux matraquait la voiture avec une violence proche de la démence. Heureusement, quelques automobilistes compatissants finirent par maîtriser cet homme qui, en temps normal, était sans doute un doux que les problèmes de circulation rendaient fou comme plusieurs de ses compatriotes. Le tout fut réglé à l'amiable quand ce monsieur, un politicien en vue, partisan de Franz Josef Strauss, fondit en larmes et finit par s'excuser de son comportement, impardonnable pour qui fait carrière en politique.

Il paya tous les frais et faillit faire une crise d'apoplexie quand ma femme lui conseilla de se trouver un psychiatre et menaça de faire parvenir une lettre ouverte au *Süddeutsche Zeitung*, le quotidien le plus important de Bavière sinon d'Allemagne.

— À l'avenir, nous devrions peut-être prendre le métro ou l'autobus. C'est tellement plus intelligent, ajoutai-je, me souvenant d'une campagne de publicité télévisée qui eut un certain succès au Québec.

Voilà pourquoi aussi nous pouvions nous compter chanceux de trouver à garer notre voiture à moins de deux kilomètres de notre logis.

Valentina avait, depuis longtemps, réglé mon problème en me donnant en cadeau d'anniversaire une bicyclette trois vitesses sur laquelle je sillonnais les nombreuses pistes cyclables de Munich où, ô luxe! les cyclistes ont priorité sur les automobilistes.

Je la soupçonne aussi d'avoir craint mon manque de patience. J'avoue devenir moi aussi un peu fou dès que je prends un volant.

Nous récupérâmes donc la BMW d'Heinrich et entreprîmes notre joyeuse randonnée au royaume des champignons.

— Encore une fois, je vous rappelle qu'il y a deux sortes d'amanite: la coucoumelle de couleur jaunâtre et moins striée au-dessous que le *fliegenpilz* (en français: tue-mouche), que vous reconnaîtrez à sa tige blanche et à son chapeau rouge picoté de blanc, expliqua notre experte mycologue.

— Un tue-mouche, tiens, quel joli nom, interrompis-je mal à propos.

— Peut-être un joli nom, tout dépend évidemment des goûts, mais je te recommande de ne pas en manger la moindre parcelle.

Le «je te recommande» sonnant un peu comme «je t'ordonne», je me sentis vaguement insulté.

— Et si, malgré tout, j'en goûtais juste un petit morceau ? Tu connais la solidité de mon estomac, niaisai-je.

— Cesse de déconner et contente-toi de la coucou-melle ou du bolet. Ils sont excellents et possèdent cet énorme avantage, surtout pour les braqués de ton espèce, de mettre un peu de plomb dans la tête. Tâche donc d'être sérieux.

La dernière chose que je voulais en ce beau dimanche de juillet, c'était justement être sérieux. Je décidai donc de renchérir, quitte à me faire fusiller par tous les membres de ma famille.

— Donc, si je comprends bien, je peux me gaver de champignons à tiges blanches surmontés de parasols rouges.

— Quel imbécile ! se contenta-t-elle d'ajouter.

Tout le monde sembla acquiescer. Je ne leur donnai pas tort.

— Bon, pour pas qu'il y ait de confusion, je répète : la coucoumelle est excellente mais, sous aucun prétexte, il ne faut manger le tue-mouche ou encore l'hypholome roux et visqueux qui, à cause d'un alcaloïde très toxique, peut vous envoyer *ad patres*, le temps d'un tic-tac.

J'allais émettre quelques autres insanités, mais me retins, voyant que la moutarde commençait sérieusement à leur monter au nez.

— Nous allons nous disperser : Julia avec Omi (nom familier qu'on donne aux grand-mères en Allemagne), Nina avec moi et lui, fit-elle en pointant le doigt vers moi de façon plus ou moins menaçante, lui, seul avec son répertoire de sottises.

— Je saurai bien m'en accommoder, répliquai-je.

Tous me reluquèrent comme si j'avais perdu la raison.

— De toute façon, tu feras bien ce que tu voudras. Si tu t'empoisonnes, ce n'est certes pas moi qui t'empêcherai de crever comme un chien.

Comme je n'avais aucunement l'intention de crever comme un chien en goûtant ces délices des sous-bois munichois et que le «champignonnage» me laissait aussi indifférent que la culture du rutabaga dans les plaines fertiles du Tibet méridional, j'allais profiter de mon isolement pour enfin écrire ce poème — une ode à la nature — que je me promettais depuis longtemps.

Pendant que je regardais les quatre femmes se disperser dans les bois pour aller cueillir, de leurs blanches mains, notre repas du soir, je m'assis sur une vieille souche bien équarrie, je rangeai mon petit panier d'osier et fermai les yeux pour mieux cogiter.

Ma muse venait tout juste de me suggérer une première rime qui alliait champignon à passion quand une espèce de froissement allant grandissant vint troubler ma rêverie.

À environ cinq mètres de moi défilaient une trentaine d'ombres, visages cachés et vêtues de longues tuniques blanches, précédées de ce que je devinai être l'ombre en chef déguisée en cygne et portant, accroché à son long cou, un panier rempli de jolis petits champignons.

Je crus d'abord à la manifestation d'un Ku Klux Klan régional avant d'apercevoir, à la queue de cet étrange défilé, la seule tache à ce festival de blancheur : un membre de cette étonnante secte déguisé en coucoumelle.

— Mais je rêve ! tonnai-je pour moi-même et un couple de corbeaux qui passaient par là.

Puis, au moment où toutes ces ombres entonnaient un hymne à la gloire de la coucoumelle, l'une d'elles me fit signe de me joindre au groupe.

— Moi ? fis-je en me désignant l'estomac et n'en croyant pas mes yeux.

L'ombre qui avait enfin un visage me gratifia de son plus beau sourire.

Irrésistible.

Je me retrouvai donc, à ma grande surprise, à côté de la coucoumelle à célébrer la fête du champignon.

— *Heil den pilzen !* Vive le champignon !

Je me sentis tout à coup ridicule au milieu de toute cette blancheur avec mon jeans bleu délavé et ma chemise de bûcheron, mais je pensai au choc que ce serait pour ma famille de me découvrir dans ce cortège de mycologues et décidai de jouer le jeu quoi qu'il advînt.

Je ne comprenais pas très bien toutes les paroles de cet hymne très doux et très mélodique ; je me contentais donc de murmurer du bout des lèvres quand, parvenu à une clairière, le cygne de tête signifia au cortège de s'immobiliser.

Personne ne bougea pendant au moins une minute, chacun semblant rendre un silencieux hommage à un quelconque dieu de la forêt. Après quoi, le chef de file se prosterna, suivi de toutes ses ouailles, et se lança dans une série d'incantations dans une langue que j'ignorais — j'appris plus tard qu'il s'agissait d'un patois bavarois —, auxquelles répondaient en parfaite harmonie tous les membres de cette glorieuse assemblée en tapant le sol de leurs deux mains.

Me disant que j'aurais l'air encore plus ridicule si je ne faisais pas comme eux, j'imitai leurs gestes et leurs paroles. De temps à autre, la coucoumelle jetait de furtifs regards dans ma direction et semblait approuver ma performance.

Après avoir célébré toute une variété de champignons allant de la barbe-de-capucin au pied-de-mouton, en passant par la boule-de-neige et le satyre puant, nous pûmes enfin nous redresser et constatâmes qu'une foule de curieux s'étaient assemblés et nous observaient avec les yeux grands comme des pièces de 5 DM.

Parmi les spectateurs, j'aperçus avec une joie non dissimulée les membres de ma famille qui ne m'avaient pas encore repéré au sein de ce joyeux aréopage.

C'est Valentina qui me vit la première. Elle ne put réprimer un cri de primate d'une puissance qui, en d'autres circonstances, aurait créé une émeute.

— Du... du...! Toi... toi...! ne put-elle qu'articuler, comme si ma présence au milieu de l'Ordre des mycologues du grand Munich — nom officiel du groupe — dépassait son entendement.

Kyra, Julia et Nina m'observaient, la bouche bée, n'en croyant ni leurs yeux ni leurs oreilles. Et moi, je me fendais la pipe, on ne peut plus heureux d'avoir réussi ma petite surprise.

Je leur fis signe de se joindre à nous, mais ne reçus en échange que des regards inquiets, comme si j'avais tout à fait perdu la boule.

C'est Nina, je crois, qui cria :

— Mais papa est devenu complètement fou!

Ce qui eut pour effet de faire tourner toutes les têtes dans ma direction.

— Vas-tu cesser de faire le pitre! tempêta ma femme. Tu veux faire de nous la risée du tout-Munich?

En parfait cabotin, je profitai de toute cette attention qu'on me portait pour exécuter quelques pas de danse et me mis à chanter à tue-tête *La fête à Saint-Dilon,* de Gilles Vigneault.

Je dois, à ce stade-ci de mon récit, faire l'aveu que jamais, au grand jamais, moi, un timide notoire, je n'aurais pu me livrer à pareille bouffonnerie si je n'avais, en cachette, ingurgité, cul sec et gaillardement, deux petits verres d'un excellent schnaps à base de grain.

Le cygne — je me demande toujours ce qu'il fabriquait dans cette fête réservée aux champignons — s'approcha de moi et me servit une bordée d'injures où le mot *respektlos* revenait constamment. Je compris qu'il n'était pas en train de me féliciter pour ma prestation et que la réputation de Vigneault n'avait malheureusement pas encore franchi les frontières des sept districts de la Bavière.

Pendant que Kyra, cette belle-mère aux multiples vertus, se demandait sérieusement si je n'avais pas avalé un quelconque champignon magique, je décidai de rejoindre les miens tout en remerciant du regard l'ombre qui m'avait invité à me joindre aux festivités de ce groupe qui, je l'appris plus tard, joignait l'utile à l'agréable lors de ses dégustations, en se livrant à des orgies de bouffe et de sexe.

— Tu restes avec Nina et moi, me chuchota Valentina. Il faut toujours t'avoir à l'œil, comme un enfant.

J'affectai un air contrit, mais je n'étais pas peu fier de cette petite surprise dont je me vante encore aujourd'hui.

J'attrapai ce qui me semblait être un bolet à large tige orangée surmontée d'un chapeau blanc et m'apprêtais à le croquer, lorsque je reçus sur le museau une claque dont la puissance non seulement projeta ledit bolet dix mètres plus loin, mais faillit me casser le nez.

— Mais es-tu complètement fou ? hurla ma femme qui, pour la énième fois, se demanda pourquoi elle était tombée amoureuse d'un tel détraqué. Tu te rends pas compte que t'allais croquer dans un *Satan Pilz*, un «Satan amer», qui peut mener à la destruction progressive des tissus osseux ou encore te donner la fièvre charbonneuse ? Tu te vois, le corps recouvert de pustules ? Pouah !

Là, j'avoue avoir senti des frissons me passer sur tout l'épiderme.

— Non, je ne me vois vraiment pas avec la fièvre charbonneuse, admis-je humblement.

— Sans oublier la mycose, le muguet et la rouille.

— Le muguet ? fis-je avec étonnement.

J'adorais l'odeur de ces petites fleurs blanches en clochettes.

J'appris alors qu'il s'agissait d'une maladie inflammatoire qui formait sur les muqueuses de la bouche et du pharynx un enduit membraneux blanc ou grisâtre.

— Et la rouille ? enchaînai-je nerveusement, commençant à sentir des picotements à l'intérieur de ma bouche.

— Comme son nom l'indique, tu te retrouverais avec des taches de rouille sur tout le corps.

— Si je comprends bien, tu viens presque de me sauver la vie.

— Voilà pourquoi je ne te perds plus de vue. Tu es tellement irresponsable !

J'étais prêt à accepter toutes les insultes. Le temps n'était plus à la blague. De toute façon, jamais de ma vie je n'allais toucher à un champignon, même si on m'assurait qu'il était comestible.

— J'ai une de ces soifs, clama ma belle-mère qui, je le sentais, avait d'autres aveux à nous faire concernant ses démêlés avec Karli, notre fantôme adoré.

Tout au bout d'une allée s'élevait la pension Hubertus où, tous les dimanches, les propriétaires Marlene et Johann Hersfeld réalisaient des affaires d'or en faisant écluser à leur joyeuse clientèle une importante quantité de bières en fût de couleur brune, noire ou blonde, qui avaient l'heur de vous mettre le cœur en joie et bien souvent aussi la couette de travers, d'autant plus qu'elles vous étaient servies dans des *mass*.

Les parents Hersfeld, dont les trois filles très accortes assuraient un service sans faille et sans reproche et dont les décolletés on ne peut plus bavarois faisaient la joie de tous les mâles, comptaient évidemment sur leur progéniture pour ne laisser aucun client à sec et pour faire joyeusement sonner leur caisse enregistreuse. Il faut dire que le décor se prêtait fort bien à la détente et à cette fameuse joie de vivre — la *gemütlichkeit* — surtout en ce dimanche maintenant sans nuage. La cinquantaine de tables pouvant accueillir chacune une douzaine de buveurs étaient toutes occupées.

— Y a trop de monde ; allons nous installer sur la terrasse à l'arrière, suggéra notre leader Valentina.

Nous prîmes donc place sous la feuillée dans un décor pastoral idyllique, autour d'une table recouverte d'une nappe blanche et verte.

— *Drei radlermass und zwei Spezi, bitte*, commandâmes-nous presque à l'unisson. Le *radlermass* est un mélange de bière blonde et de limonade dont les vertus étanchantes sont indéniables tandis que le Spezi, réservé aux enfants, est une combinaison de cola et aussi de limonade.

— *Prosit!* fis-je à la ronde, en levant ma chope à bout de bras au moment où les musiciens du dimanche entonnaient les premiers accords de la *Lorelei*, l'hymne à l'amour nous rappelant cette sirène, une vlimeuse, qui attirait par ses chants les bateliers du Rhin, lesquels venaient ensuite faire naufrage sur les rochers.

Nous nous laissâmes bercer par cette mélodie, presque une complainte, et je me demandai moi-même comment j'en étais arrivé à venir faire naufrage sur les rochers de la Bavière.

— *Du bist meine Lorelei.* Tu es ma Lorelei, susurrai-je amoureusement à l'oreille de Valentina.

— *Und du... mein kreuz.* Et toi... ma croix, répliqua-t-elle tout aussi amoureusement.

Le violoniste réussissait à tirer de son instrument des échos déchirants et, dans une dernière envolée, vint presque nous arracher toutes les fibres du cœur. Comment rester insensibles devant une telle virtuosité? Nous en avions les larmes aux yeux. Il arrive souvent, dans ce coin du monde, que vous ayez la chance, sur une place publique ou dans un quelconque bistro, de découvrir de grands artistes qui n'auraient pas déparé une salle de concert s'ils avaient été au bon endroit au bon moment. Mais plusieurs choisissaient sciemment la bohème et se contentaient de sillonner le monde, faisant profiter le commun des mortels de leur art.

Victimes de notre émotion et de notre grande générosité, nous leur refilâmes un billet de 20 DM et leur demandâmes la faveur de nous interpréter *Podmoskovnie Vecera*, qui avait l'heur de plonger ma belle-mère dans une profonde nostalgie, elle qui avait passé toute son enfance à Saint-Petersbourg et son adolescence à Moscou.

— Ah! si mon pauvre père était ici! sanglota-t-elle. Nikolai! Nikolai! *Gde ty*?

— Ça veut dire quoi *gde ty*? glissai-je à ma femme pendant que notre violoniste, qui savait profiter de toutes les émotions, échappait des accords dont la langueur et la tristesse étaient en parfaite osmose avec les états d'âme de belle-maman.

— Où es-tu? me chuchota-t-elle, aussi émue que sa chère maman.

— Mais je suis ici, à tes côtés, presque sur ton sein et pour toujours, niaisai-je.

— *Gde ty*, c'est russe et ça veut dire «où es-tu», rechuchota-t-elle, mais elle interrompit ses explications à mi-chemin en se rendant compte qu'une fois de plus je la faisais marcher.

Elle m'aurait, en temps normal, enguirlandé et de belle façon, mais elle choisit de ne pas faire d'éclat pour ne pas briser l'émotion du moment.

Décidément, nos deux cultures très différentes, surtout pour tout ce qui concernait l'humour, provoquaient fréquemment des étincelles et mettaient souvent le feu aux poudres. Qui, de Tchekhov ou de Claude Meunier, avait raison?

Les derniers accords de cette mélodie, presque un hymne national en Russie, mieux connue chez nous sous le titre de *Le temps du muguet*, ouvrirent les écluses et déclenchèrent chez Kyra et Valentina une giclée qu'eurent beaucoup de difficulté à comprendre Nina et Julia, pour qui U-2 et Michael Jackson représentaient le fin du fin de l'art musical.

De Spezi en Spezi et de *radlermass* en *radlermass*, nous fûmes presque surpris par l'arrivée de la nuit.

— *Zwischen hund und wolf*, émis-je savamment.

— Hi... hi... ha... ha... se marra Valentina. En allemand, ça ne se dit pas «entre chien et loup». On dit *in der dämmerung*. Hi... hi... ha...ha...

J'allais lui servir une cinglante réplique, mais mes premiers mots bloquèrent quelque part entre l'œsophage et la luette quand nous aperçûmes tout à coup les membres de l'Ordre des mycologues du grand Munich débarrassés de leurs cagoules, tous plus beurrés les uns que les autres et qui s'apprêtaient à venir troubler notre aimable intimité. Comble de malheur, la coucoumelle me reconnut et me prit dans ses bras en bredouillant: «Bienvenue, bienvenue dans l'Ordre des mycologues du grand Munich.» Le personnage allait m'oindre d'une concoction quelconque contenue dans une petite bouteille quand son geste resta suspendu dans les airs comme s'il était paralysé. Son regard sembla embrasser l'horizon et il s'affaissa sur le sol en dégageant un nuage de poussière et en provoquant chez ses collègues des éclats de rire bien gras et bien dodus.

— *Er ist ganz besoffen.* Il est complètement soûl, s'inquiéta ma belle-mère.

Après quelques minutes pendant lesquelles tout ce beau monde se bidonna avec une délectation peu commune, on commença à s'inquiéter en constatant que la coucoumelle non seulement ne bougeait plus, mais ne semblait plus respirer.

— Hans! Hans! hurla le cygne, maintenant débarrassé de son costume et qui n'était pas tout à fait sobre lui non plus. *Antworte, bitte!*

Mais on eut beau le bousculer, le retourner de tous les côtés, lui faire le bouche à bouche, le prénommé Hans ne répondait pas et ce, pour une excellente raison, il venait de rendre l'âme. C'est en effet ce que constata avec horreur un membre du groupe, un éminent médecin de l'hôpital Turn und Taxi de Munich.

Cette journée qui avait commencé dans l'allégresse allait se terminer dans la désolation à cause des maudits champignons, car j'étais sûr que mon ami Hans s'était empoisonné. Il n'aura pas su, dans son ivresse, faire la différence entre le tue-mouche et la clavaire cendrée. C'est du moins la conclusion à laquelle j'en étais arrivé, sans vouloir poursuivre plus loin mon enquête. Ce soir-là, après nous être débarrassés de notre récolte de la journée, nous prîmes la décision à l'unanimité de manger une pizza chez l'Italien du coin. Décidément, c'était un drôle de début de vacances pour moi, qui commençais à râler qu'il ne se passait rien d'excitant depuis les quinze ans que je passais mes étés en Bavière. La vieille dame qui attendait la mort, Karli le fantôme, le restaurant hanté par Hitler, la mort de la coucoumelle, nos voisins de plus en plus bizarres allaient changer tout ça.

— Ouais, on va pas s'embêter cet été, lançai-je en direction de belle-maman.

— *Armer Hans*, pauvre Hans, fit-elle en enfilant une pointe de pizza bien fumante.

— Tout ce qui nous manque pour bien terminer la journée, c'est une visite de notre ami Charlie.

— Veux-tu bien te taire, s'insurgea ma conjointe. Tu veux faire peur aux petites?

— Voyons, voyons, vous savez bien que les histoires de fantômes, c'est de la foutaise, émis-je pour tenter de les rassurer et, constatai-je lâchement, pour me rassurer aussi.

Cette nuit-là, avant de sombrer dans un lourd sommeil peuplé de bolets Satan, de lactaires visqueux, d'hypholomes, de russules et de volvaires, je me souvins que trois de mes excellents amis, Pierre Nadeau, Serge Arsenault et Alain Goldberg, avaient eu naguère maille à partir avec des fantômes. Je m'en étais moqué à l'époque, mais je réalise aujourd'hui qu'il y avait peut-être matière à réflexion.

Dans son domaine de Knowlton, Serge avait été surpris, dans une maison de poupées attenante au bâtiment principal, par des émanations de tabac à pipe

— du Rose Quesnel selon un de ses vieux oncles, un connaisseur — et des volutes de fumée qui semblaient sortir des murs.

Il eut beau chercher et même défoncer des pans de mur, il ne réussit jamais à trouver une explication à ce phénomène assez particulier.

Quant à mon ami Nadeau, il jure dur comme fer que, lors de son séjour de trois ans comme correspondant de Radio-Canada à Paris, il fut, toutes les nuits, harcelé par des gargouillis venant de la salle d'eau suivis d'interminables gémissements qui le forcèrent à passer quelques nuits blanches.

En apprenant que le locataire qui l'avait précédé s'était pendu dans cette même salle de bain, ce bon Pierre avait choisi de résilier son bail et d'aller habiter dans le XVIe arrondissement, à quelques mètres de l'appartement où logeait, dans toute sa splendeur, cette championne du bébé phoque et de l'otarie du Sud, l'éblouissante Brigitte Bardot.

Un autre de mes collègues et amis, Alain Goldberg, le prince du patinage artistique et une des plus fines lames que je connaisse, m'a raconté une histoire que j'ai peine à croire, celle d'une copine à lui qui fut naguère membre de l'équipe nationale de France et qui dut subir le harcèlement d'un quelconque esprit, lequel venait la hanter toutes les nuits précédant une compétition. Il se manifestait, selon Goldberg, vêtu d'un justaucorps de couleur pourpre et exécutait des arabesques sur le parquet de la chambre à coucher de la pauvre jeune fille, morte de peur et qui dut mettre un terme à sa carrière pour enfin se débarrasser de cet intrus.

Arsenault, Nadeau et Goldberg sont des gens sérieux et crédibles, mais j'avoue avoir beaucoup de mal à croire ce que j'ai toujours pris pour des sornettes.

— Homme de peu de foi, me grondaient souvent ces trois amis.

J'aurais bien aimé, moi aussi, avoir ma petite histoire de fantôme et un quelconque être spirituel. Il est vrai que je ne croyais pas au surnaturel et je le regrettais un peu, car je trouvais absolument idiot qu'on nous ait dotés d'intelligence et que, après un bref séjour sur la boule terrestre, nous nous retrouvions Gros-Jean comme devant, six mètres sous terre à manger des navets par les racines. J'étais sans doute victime de cette foi du charbonnier qu'on m'avait inculquée dans ma prime jeunesse et qui, au bout du compte, avait eu pour résultat de faire de moi un parfait athée. Mais, en avançant en âge et avec cette crainte qui envahit tous ceux à qui il reste moins d'années à vivre qu'ils n'en ont vécues, je cherchais une bouée de sauvetage que la religion de ma jeunesse ne me fournissait plus depuis longtemps.

— Ah! si seulement je pouvais rencontrer un pauvre petit fantôme qui viendrait changer toute ma façon de voir les choses. Juste un petit fantôme, un lilliputien de fantôme qui me ramènerait sur la voie du surnaturel, au royaume des croyants.

Mais, conflit cornélien, pour voir un fantôme, encore faut-il y croire, paraît-il. Je me mis à souhaiter que l'histoire de Karli, que ma belle-mère avait surnommé Charlie pour satisfaire à mes origines nord-américaines, fût réelle et je pris la téméraire décision de tenter de provoquer une rencontre avec ce maudit spectre quoi qu'il advînt.

Pour cela, il faut un certain courage. Si le fantôme semble vous ignorer, c'est que pour diverses raisons vous ne présentez aucun intérêt pour lui.

— Alors là, il faut le défier, m'avait dit Kyra. Il faut lui trouver une raison de s'intéresser à vous.

— Mais quel diantre de subterfuge pourrais-je inventer, moi qui ne connais rien ni ne crois aux esprits, aux spectres ou aux ectoplasmes?

— Cherche et tu découvriras, se contenta-t-elle d'ajouter d'un air mystérieux.

Je me mis à chercher, mais ne trouvai pas.

« Ce sera pour demain », me dis-je avant de sombrer dans un lourd sommeil peuplé de champignons plus visqueux et plus vénéneux les uns que les autres.

* * * * *

Réveil ensoleillé après six heures de sommeil. Depuis environ deux ans, je me rends compte que plus j'avance en âge, moins j'ai besoin de dormir.

De huit heures par nuit qu'elle était il n'y a pas si longtemps, ma moyenne est passée à six heures. Je vis donc deux heures de plus par jour, multipliées par trois cent soixante-cinq, ça donne bien sept cent trente heures. Si on divise par vingt-quatre, on en arrive à un peu plus de trente jours.

Conclusion : je vis un mois de plus par année que quelqu'un qui dort huit heures. Alléluia ! J'ai l'impression de jouer un tour à quelqu'un.

Cette enthousiasmante et dramatique réflexion fut interrompue par l'irruption de Valentina, dont les traits un peu tirés et l'air soucieux me firent tout de suite deviner une préoccupation métaphysique que j'aurai de la difficulté à éviter.

— Nous avons des politesses à rendre aux Bryth et aux Scotti, me lança-t-elle. J'ai besoin de ton avis.

— Mon avis, mon avis. Tu sais fort bien que je ne décide rien et, de toute façon, ce sont tes amis. Dis-moi simplement ce que tu as sûrement déjà décidé.

— J'ai pensé que tu pourrais les inviter dans un restaurant italien, le Romagnolo ou bien la trattoria San Gimignano.

Je me souvins tout à coup de ce restaurant où l'orage m'avait forcé à m'arrêter le dimanche précédent.

— Dis donc, tu connais ce restaurant au coin des rues Schilling et Schraudolph ?

— L'Osteria Bavaria ! s'exclama-t-elle. Quelle bonne idée !

Elle hésita quelques secondes avant d'ajouter ce que je savais déjà :

— Mais tu sais que c'est affreusement cher.

— Si on en faisait l'essai à midi, toi et moi, émis-je, oubliant qu'en Allemagne le *business lunch* était plutôt rare.

Ça allait sans doute me coûter un bras, mais ma curiosité l'emportait sur mon sens de l'économie. Je voulais percer le mystère des bruits confus de verres qu'on choquait les uns contre les autres pendant que des voix lointaines et confuses lançaient des *Heil Hitler !* alors que le restaurant était fermé.

Je lui racontai mon aventure, mais elle ne sembla pas surprise outre mesure. Valentina croyait aux fantômes, même si elle n'en avait jamais vus.

Aux douze coups de midi joliment sonnés par le bedeau de la Ludwigkirche, nous dévalions les escaliers de notre appartement, espérant ne pas avoir à croiser les regards curieux de nos voisins. Nos espoirs furent déçus. *Herr* Graf prenait le frais dans sa fenêtre donnant sur la rue.

— *Ah, meine gute freunde, was für einen schönen tag !*

Puis m'apercevant :

— Le jour de gloire est arrivé.

— L'étendard sanglant est levé, tac-au-tacai-je, sans que le brave homme y entende goutte et sans que nous interrompions notre marche.

— Eh... eh..., fit-il pour voiler son indigence en ce qui concernait la compréhension de la langue de Corneille et de Réjean Tremblay.

Il nous adressa quelques autres civilités et claqua sans doute aussi des talons, mais nous étions rendus trop loin pour l'entendre.

Vingt minutes plus tard, nous étions à la porte de la mystérieuse Osteria Bavaria.

Je jetai un rapide coup d'œil au menu, dont les prix n'avaient malheureusement pas changé.

— Tu es certain que tu veux manger ici ? me dit ma femme, tout à coup inquiète de partager avec moi un déjeuner qui allait me coûter facilement dans les 150 $.

— Me prends-tu pour un fesse-mathieu ? répliquai-je, feignant l'insulte et heureux de pouvoir lui exhiber ma connaissance de Molière.

— Un fesse quoi ?

Valentina, pour qui le français était une cinquième langue et qui avait fait des progrès remarquables depuis qu'elle me connaissait, ne possédait pas encore à fond toute la sémantique de notre merveilleuse langue française. (Elle parlait aussi l'allemand, le russe, l'anglais et le polonais.)

Pour elle, le mot « fesse » n'avait qu'un seul sens. Je dus donc lui expliquer qu'il s'agissait là d'une expression datant du XVIe siècle, surtout rendue célèbre par Jean-Baptiste Poquelin dans beaucoup de ses œuvres.

— Ah... un avare ! T'aurais pu le dire tout de suite, espèce de snob. De toute façon, il n'est pas trop tard pour changer d'idée. On est à cinq minutes de la Hofbräuhaus. Là, on pourrait s'en tirer pour une vingtaine de dollars, bière incluse.

La Hofbräuhaus est certainement la plus grande brasserie de Munich sinon d'Allemagne, surtout fré-quentée par les touristes et par les provinciaux, très peu par les Munichois. L'imposant édifice, situé en plein centre de Munich, a été construit à la fin du siècle dernier. Valentina, comme toute Munichoise qui se respecte, n'y avait jamais mis les pieds.

— Tu sais que j'ai naguère fréquenté cette belle institu-tion à deux reprises et, chaque fois, dans des circonstances épiques, me vantai-je.

— Ben, si j'étais toi, je m'en vanterais pas, conclut-elle.

De fait, je n'avais aucune raison de m'en vanter. Lors

de mon premier voyage en Europe, en 1953, nous avions été expulsés, grâce à un ami qui, fort de trop nombreuses libations, avait défié tout le personnel — au moins quatre-vingt-dix personnes — et nous nous étions retrouvés en prison.

Un peu moins de vingt ans plus tard, quelques jours avant le début des Jeux olympiques de 1972, quelques diables me poussant, j'y remis les pieds pour la dernière fois en compagnie de quelques-uns de mes collègues.

Notre fille de table, une costaude qui pouvait transporter douze chopes à la fois, nous manifesta une familiarité qui n'était pas sans nous inquiéter. Au risque de passer pour un vulgaire macho et pour un infâme sexiste, je dois avouer que, jamais de ma vie, je n'avais rencontré femme aussi laide. Je n'étais d'ailleurs pas sûr qu'elle fût une femme tellement elle était moustachue et couverte de poils. Elle me rappelait un lutteur du nom de Bull Curry, qui avait connu son heure de gloire dans les années cinquante au Forum de Montréal et à la Tour à Québec.

Elle nous frôlait chaque fois qu'elle en avait la chance et dégageait une odeur de ranci et de houblon dont l'amalgame n'avait pas de quoi titiller notre sens olfactifs. Elle poussa même la désinvolture jusqu'à nous suggérer d'aller boire un schnaps aux cerises de sa fabrication, une fois son travail terminé. Notre refus poliment exprimé eut pour effet de faire exploser une frustration trop longtemps contenue et elle nous servit une diatribe où les mots *aschloch* revenaient régulièrement. Cette étonnante manifestation de rage injustement dirigée contre d'inoffensifs artisans de la digne Société Radio-Canada nous laissa bouche bée et bras ballants. Non contente d'avoir réussi à attirer tous les regards des buveurs dans notre direction, elle éclata ensuite en larmes en criant que tous les hommes étaient des couilles molles et des cochons. Elle nous raconta, à travers un ensemble de hoquets et de sanglots, comment son homme l'avait lâchement abandonnée après avoir abusé d'elle pour ensuite se joindre à la Légion étrangère.

Puis, dans un geste dramatique, elle versa une pleine chope de bière sur la tête d'un collègue réalisateur, qui étrennait justement un nouveau complet acheté à grand prix chez Loden Frei, un des magasins les plus chics de Munich. Le plus dignement possible, elle disparut dans les cuisines aux applaudissements de tous les spectateurs présents pendant que nous quittions la brasserie, piteux et lamentables, sous les huées des mêmes spectateurs qui croyaient sans doute qu'un d'entre nous avait tenté de séduire cette harpie dont le système pileux n'avait rien à envier à celui d'un orang-outang adulte.

Que la lectrice me traite de sexiste si le cœur lui en dit, mais je jure sur la tête de Bull Curry que cette histoire est véridique.

Voilà pourquoi, me rappelant cette sordide histoire, une des plus sombres dans ma carrière de commentateur olympique, je répondis qu'il n'était pas question que je remette les pieds dans cet estaminet géant.

— Plutôt mourir, plutôt me ruiner ! emphasai-je en poussant la grande porte massive et néanmoins finement ciselée de l'Osteria Bavaria.

Nous fûmes accueillis par un maître d'hôtel vêtu de noir dans la plus pure tradition, avec veston à revers de soie, pantalon à galon de soie et nœud papillon, le tout contrastant avec la blancheur de ses cheveux et son teint plus pâle que celui d'un mort.

— Vous avez une réservation ? fit-il d'un air un peu hautain et avec une moue de dédain à la vue de mon pantalon de toile à multiples poches et de mon blouson militaire acheté au surplus de l'armée.

N'eussé-je été victime d'une curiosité exacerbée, j'aurais immédiatement vidé les lieux, après avoir au moins fait un pied de nez à ce fat personnage. Ma tendre moitié choisit alors de prendre les choses en main.

— Nous n'avons pas de réservation, mais il me semble, à moins que ma vue ne me joue des tours, qu'il n'y a pas un chat dans votre établissement, fit-elle sèchement.

— Je vais voir si je peux vous accommoder, répliqua-t-il, imperturbable.

— Non, mais quel fat personnage ! chuchotai-je à l'oreille de ma femme, pendant que cet Harlequin à roulettes consultait son grand livre noir.

— Vous avez de la chance, j'ai une table de disponible. Suivez-moi, je vous prie.

J'avais une folle envie de lui foutre mon pied là où les poules ont l'œuf, mais sagement je me retins.

Il nous mena jusqu'à une table légèrement cachée dans une encoignure, où la distinguée clientèle impeccablement fringuée n'aurait pas à subir la vue d'un pauvre Québécois aussi misérablement vêtu.

— *Bitte schön : die Speisekarte*, fit-il en nous remettant le long menu.

Je n'allais pas lui faire plaisir en choisissant ce qu'il y avait de moins cher. On est homme du monde ou on ne l'est pas, même avec un pantalon de toile et un blouson militaire.

— Vous avez un spécial ? m'enquis-je.

— *Ja, Wildbret mit Pfefferlingen. Es ist sehr köstlich*, ajouta-t-il en me toisant d'un drôle de regard.

Il avait évidemment conclu qu'il avait affaire à un vulgaire touriste nord-américain et m'avait probablement suggéré ce qu'il y avait de plus coûteux. Il n'allait pas m'avoir.

— *Zwei dutzend, bitte !* émis-je assez fort pour que tous les autres clients, s'il y en avait eu, m'eussent entendu.

Je reçus un violent coup de pied sous la table. Je venais de commander deux douzaines de filets de sangliers.

Celui que, dans ma tête, j'avais baptisé Hermann daigna alors me regarder dans les yeux et, oubliant toute sa dignité de maître d'hôtel, se mit à hoqueter comme un fou, ce qui était sa façon de rire à gorge déployée. Il riait tellement que son teint passa du blanc à un rouge malsain. Il ne semblait plus pouvoir s'arrêter.

— Mais il va se décrocher la mâchoire, m'inquiétai-je.

Puis, cet homme sans âge — s'il en avait un, c'était au moins au-dessus de quatre-vingts ans — se mit tout à coup à haleter comme un mourant.

J'allais me lever pour lui porter un quelconque secours, lorsque deux garçons de table, alertés par ce concert incongru, s'amenèrent à toute vitesse, saisirent Hermann par les épaules et le traînèrent jusqu'à la cuisine.

Cinq minutes plus tard, il avait retrouvé sa superbe et son teint blafard et, droit comme un piquet de clôture, il se planta devant nous, prêt à satisfaire nos désirs gastronomiques.

— Si ça ne te fait rien, je vais m'occuper de la commande, dit Valentina, que ce petit incident avait bien amusée, mais qui n'avait aucunement l'intention de le voir se répéter.

D'ailleurs, plusieurs clients, visiblement des habitués, occupaient maintenant ce qui semblait être leurs tables accoutumées.

Là-bas, on appelle ça des *stammtisch*, des tables réservées à vie à des privilégiés qui ont évidemment les moyens de se les payer.

Ils arrivaient presque toujours à la même heure et on les accueillait évidemment avec beaucoup de déférence.

Hermann se confondait en courbettes devant cette faune portant vestes et cravates.

— Sans doute d'importants politiciens et hommes d'affaires ? dis-je à Valentina.

— Tu as raison. Tu vois cette dame à la table près de la fenêtre ? C'est l'héritière de Wacher Chemie, une des plus importantes compagnies de produits chimiques en Allemagne.

Effectivement, quiconque se baladait sur les *autobahn* ne pouvait rater les immenses camions-citernes transportant la fortune de la famille Wacher.

Étonnamment, la plupart des autres convives me semblaient tous avoir atteint un âge vénérable, pour ne pas dire canonique, et, à part la jolie héritière et Valentina, il n'y avait que des hommes.

— Ça me semble être un restaurant de l'âge d'or pour vieux schnocks, glissai-je à l'oreille de Valentina.

— Je t'expliquerai pourquoi un peu plus tard, fit-elle en apercevant le garçon de table qui venait prendre notre commande.

— Nous n'avons pas très faim, nous allons donc nous contenter d'une entrée et d'une demi-bouteille de vin, fit-elle.

— *Entschuldigung, gnädige frau*, mais je ne parle pas français très bien.

— *Zuppa Fiorentina, Rinder Carpaccio mit Gorgonzola und Insalat bitte und eine halbe flasche Barbaresco Riserva Franco Florina.*

— *Sofort*, tout de suite, répliqua poliment notre garçon, heureux de pouvoir baragouiner quelques mots de français.

— Eh bien, tu vois, on peut manger dans un des meilleurs restaurants de Munich et ne pas dépenser une fortune.

— Ça reste à voir, fis-je. De toute façon, je m'étais fait à l'idée et, maintenant, nous allons avoir l'air de pauvres minables.

Je me sentis soudainement très mal à l'aise et me promis que, la prochaine fois, je porterais mon meilleur complet, celui dont Valentina m'avait fait cadeau pour mon anniversaire, et que personne ne me toiserait dédaigneusement.

Tout était feutré dans ce restaurant qui ne comptait pas plus qu'une douzaine de tables. D'épais rideaux à motifs de chasse à courre voilaient partiellement les fenêtres, qui ne laissaient filtrer que parcimonieusement la lumière du jour. Les murs faits de bois de chêne à peine verni et une moquette épaisse et moelleuse ajoutés à un éclairage discret contribuaient à créer une atmosphère de grande intimité et nous incitaient à parler à voix très basse.

Deux garçons de table, impeccables eux aussi dans leurs smokings identiques à celui du vénérable maître d'hôtel, se fendaient en quatre pour satisfaire les exigences de leur distinguée clientèle et semblaient nous ignorer totalement.

— Crois-tu qu'ils nous ont oubliés ? fis-je.

— Nous allons voir ça tout de suite, répliqua-t-elle.

— *Herr Ober, bitte*, cria-t-elle poliment mais d'une voix ferme qui fit tourner quelques têtes.

Le garçon s'amena en trombe, s'excusa et nous expliqua qu'on n'avait pas l'habitude de servir la *Zuppa Fiorentina* le midi, mais que tout serait prêt dans quelques minutes.

Il me sembla alors que nous faisions figure d'intrus, que nous dérangions un peu tous ces gens qui se retrouvaient irrémédiablement, tous les midis à la même heure, et qui ne paraissaient pas apprécier particulièrement que leurs habitudes soient troublées par la présence d'étrangers, surtout quand un de ceux-ci portait un pantalon de toile et un blouson militaire.

Les Allemands sont des gens polis qui n'émettront pas de commentaires désobligeants à haute voix, mais qui marqueront leur désapprobation en vous jetant des regards sévères ou en vous toisant avec mépris.

Justement, nos deux voisins immédiats, dont les visages ridés comme de vieux pruneaux ne pouvaient cacher des ans les irréparables outrages — rapidement, je leur donnais au moins quatre-vingts ans — me zyeutaient comme si je venais de commettre un crime sans nom.

— Veux-tu bien me dire ce que je leur ai fait, à ces deux vieilles pelures ? glissai-je irrévérencieusement dans l'oreille gauche de ma conseillère. Au moment où elle allait me répondre, le garçon s'amenait avec deux grandes assiettes d'un potage bien fumant, pendant que le vieux maître d'hôtel, avec beaucoup d'obséquiosité, faisait signe à nos deux voisins de le suivre.

Péniblement, en claudiquant, les deux vieillards le suivirent et disparurent derrière une porte à l'arrière du restaurant.

— Bon débarras ! ne pus-je m'empêcher d'émettre tout en trouvant de plus en plus bizarre l'attitude du personnel et de la clientèle.

Il y avait dans l'air quelque chose de mystérieux, d'indéfinissable, comme si nous étions tout à coup victimes d'une espèce de conspiration. Je m'en ouvris à Valentina, qui balaya tout ça du revers de la main en me traitant de paranoïaque.

— Mange ta soupe. Tu verras, tu te sentiras beaucoup mieux après.

La *Zuppa Fiorentina* est une soupe d'épinards recouverte d'un œuf, très populaire en Bavière, et possède, selon la légende, des vertus aphrodisiaques très sûres.

— Tu sais, ajouta Valentina, que l'Osteria Bavaria est le plus ancien restaurant italien de Munich et qu'il était le préféré d'Adolf Hitler. C'est d'ailleurs lui qui a rendu populaire cette *Zuppa Fiorentina* dont tu sembles te délecter.

— Si j'avais su, j'aurais commandé autre chose, répliquai-je.

Mon appétit géant et le fumet de cet excellent potage l'emportèrent sur mes principes. Je voulais aussi en éprouver les vertus aphrodisiaques. Si ce brave Adolf avait pu en profiter pour faire des galipettes avec cette non moins brave Eva Braun, je ne voyais pas pourquoi je m'en serais privé. D'autant plus que ce triste personnage avait la réputation d'être un impuissant notoire.

— Au diable Hitler et ses suppôts et vive la *Zuppa Fiorentina*! m'exclamai-je d'un ton un peu plus haut que je ne l'aurais souhaité.

Ce qui eut pour effet de faire tourner plusieurs têtes et de m'attirer des regards très peu sympathiques, pour ne pas dire, dans certains cas, nettement hostiles.

D'un geste gracieux n'excluant pas un certain défi, je levai mon verre de Barbaresco et affichai mon plus beau sourire. Toutes les têtes reprirent leur position initiale, c'est-à-dire face à leurs vis-à-vis et à leurs assiettes.

Quelques secondes plus tard, le maître d'hôtel vint chercher deux autres vieillards pour les entraîner eux aussi vers la même porte à l'arrière du restaurant, tout près des toilettes.

L'un d'eux, qui devait bien faire dans les deux mètres et qui portait une prothèse à la place du bras droit, semblait avoir gardé une forme toute militaire et il y avait dans son regard une inquiétante détermination. Une solide mâchoire surmontée d'un nez d'aigle et deux yeux gris perçants lui donnaient toutes les allures d'un leader, d'un chef à qui il ne ferait pas bon s'opposer.

Derrière lui, son collègue, rondouillard et chauve comme le mont du même nom, faisait plutôt figure de lieutenant ou même de vassal tellement sa déférence était grande pour le grand homme. Je remarquai avec surprise que lui aussi portait une prothèse à la place du bras gauche et qu'il lui manquait une partie d'oreille.

— Mais qu'est-ce que c'est que ça : la cour des miracles? m'entendis-je clamer.

Et soudainement, tout s'illumina : Hitler, la *Zuppa Fiorentina*, cette auréole de mystère, l'atmosphère feutrée et inquiétante et cette panoplie de vieux bonzes avec leurs prothèses ; nous étions dans un repaire de vieux nostalgiques du nazisme dont la fidélité envers leur führer les faisait encore se réunir plus de quarante ans après sa mort. J'étais complètement soufflé. Je dois avouer avoir subi une espèce de choc à la suite de cette découverte. Mon adolescence avait été marquée par la Deuxième Guerre mondiale, dont il avait été abondamment question dans la famille avec trois cousins, militaires de carrière, qui s'y étaient retrouvés dans le feu de l'action. L'un d'eux fut d'ailleur blessé à Casa Berardi lors de la bataille d'Italie. Cette guerre, à cause de ses protagonistes devenus des symboles mythiques de l'horreur, continue à frapper l'imagination des gens et on nous remontre constamment des images de ce conflit à la télévision et au cinéma.

C'est un peu comme si les autres guerres, celle de Corée, celle du Viêtnam, etc., n'avaient pas eu lieu. Les crimes de guerre nazis et la chasse à ceux qui en furent responsables perpétuent le souvenir d'une des époques les plus noires dans l'histoire de notre civilisation.

Voilà pourquoi, en cette magnifique journée de juillet, la vue de ces quatre vieillards claudiquant et « prothésés » ramenait chez moi des émotions que je croyais ensevelies dans la nuit des temps.

— Mais t'as vu ça? C'est une réunion de vieux nazis, fis-je à Valentina.

Le garçon de table, qui nous apportait notre carpaccio et notre salade, me jetait un drôle de regard. Même si sa connaissance du français était très limitée, il n'avait sans doute pas raté le mot « nazi ».

— Pas si fort, me dit Valentina. Tu ne vas quand même pas créer un incident diplomatique.

Pour moi, il était devenu évident que la plupart des convives étaient parfaitement au courant de l'histoire de ce restaurant et acceptaient le fait que de vieux bonzes, témoins de toutes ces horreurs, se réunissaient encore pour célébrer un passé où leurs rêves s'étaient éteints dans l'ignominie et dans la honte. Leur fanatisme n'avait point de limites.

— C'est pas possible, pince-moi, demandai-je à Valentina.

— Oublie ça. Il existe encore des îlots de vieux fanatiques nostalgiques dans toute l'Allemagne. Ils n'ont plus aucune espèce d'influence et sont, au contraire, rejetés par la majorité des Allemands.

— Sauf ceux qui mangent à l'Osteria Bavaria, ajoutai-je.

— Mais non, mais non, la plupart des habitués n'ont rien à voir avec le passé nazi et viennent ici parce qu'il s'agit d'un des meilleurs restaurants de Munich.

— Bon, bon, puisque tu le dis, m'inclinai-je, avec la ferme intention de poursuivre plus loin mes recherches.

— Tout est à votre satisfaction ? s'informa notre garçon de table.

— Impeccable, émîmes-nous simultanément.

Je n'avais jamais mangé un aussi bon carpaccio, coupé en fines lamelles d'une belle viande rouge auquel le gorgonzola ajoutait un je ne sais quoi d'exotique qui nous titillait agréablement les papilles gustatives. Le Barbaresco avait une belle couleur grenat et se mariait de façon fort élégante à notre repas.

La marchande de fleurs, une vieille dame ridée avec des allures de gitane, vint nous offrir ses fleurs. Ma galanterie n'ayant pas de limites, j'offris un bouquet de violettes à Valentina pour la remercier d'avoir fait un si bon choix.

— L'amour est un bouquet de violettes, entonnai-je en hommage à ma femme et à Luis Mariano.

— Mais tais-toi, tu veux absolument nous faire remarquer !

— Qu'est-ce que tu as contre Luis Mariano ? ironisai-je.

— Luis Mariano... Luis Mariano... qui c'est ?

— L'équivalent de ton idole, Udo Jürgens.

Udo Jürgens, un chanteur populaire en Autriche et en Allemagne, qui charma plusieurs générations de Teutonnes et qui continue à le faire, n'avait jamais franchi l'Atlantique, ni même le Pacifique ou la Baltique, mais avait certes franchi le seuil de tolérance de Valentina, qui ne le tenait pas en très haute estime.

— Non, mais tu vas me foutre la paix avec Udo Jürgens...

Elle fut interrompue par le garçon qui venait débarrasser la table :

— *Wollen Sie Nachtisch ?* Un petit dessert ? Nous avons un excellent tiramisu ou, si vous préférez, une salade de fruits de la passion.

— Ah ! les fruits de la passion ! roucoulai-je.

— Deux tiramisu, commanda Valentina avec fermeté.

Je n'en avais pas vraiment envie, mais ce dessert me permettrait d'allonger mon séjour dans ce restaurant où, derrière la porte, à l'arrière près des toilettes, se passait, imaginais-je, quelque chose de mystérieux. Mais comment vérifier ? La porte était fermée et le maître d'hôtel, en garde-chiourme, la protégeait de son œil de lynx.

Je ne me résolvais pas à questionner notre garçon de table, de peur de tout gâcher. Je me mis à souhaiter que quelqu'un laissât éventuellement la porte entrouverte, ce qui me permettrait d'aller fureter et de jeter, mine de rien, un furtif coup d'œil dans l'embrasure.

— Dites-moi, garçon, cette salle à l'arrière, c'est un salon privé ? fis-je innocemment.

— *Jawohl, mein herr*. En effet, monsieur. C'est bien comme ça qu'on dit en français... en effet, monsieur ?

— Merveilleux, vous parlez très bien français, flagornai-je, histoire de m'attirer sa sympathie.

— *Schönen Dank*, monsieur, fit-il en nous décochant enfin un sourire. Je vous apporte un café ?

— Deux cappuccinos, s'il vous plaît.

Je le regardai s'éloigner et me dis qu'il était peut-être plus malléable que les autres membres du personnel. De toute façon, il était beaucoup plus jeune.

— Tu crois que je pourrais lui poser discrètement quelques questions ?

Valentina, dont le pragmatisme et la rationalité ne faisaient pas obstacle à beaucoup de fantaisie et de curiosité, réfléchit pendant une dizaine de secondes pour enfin me donner la réponse que je souhaitais.

— Il est vrai qu'il te connaît maintenant, mais, si j'étais toi, j'attendrais une prochaine fois, pour ne rien bousculer.

— Merci, merci, je n'en espérais pas moins de toi, ô femme sage et délectable, fis-je en lui baisant chastement le lobe frontal.

Le garçon revenait avec deux cafés recouverts d'une belle mousse blanche, picotée de poudre de cannelle, quand je vis notre maître d'hôtel accueillir un étrange personnage pas très grand, le visage caché d'un large chapeau et portant un long manteau de cuir noir. Il ouvrit rapidement la porte du mystérieux salon privé, où s'engouffra notre homme qui, visiblement, n'avait aucunement l'intention d'être remarqué.

Tout ça s'était déroulé en quelques secondes. Le mystère s'épaississait.

— Non, mais t'as vu, t'as vu ! m'excitai-je.

— Sois plus discret, tout le monde nous regarde.

Effectivement, tout le monde nous regardait. Ma carrière de détective démarrait plutôt mal. Je me sentis plus proche de Clouseau que de Maigret ou d'Hercule Poirot.

Petit à petit, le restaurant se vida. Il ne restait plus que nous, le personnel et les cinq vieillards en train de tramer Dieu sait quelle horreur derrière la porte close.

— Nous devrions peut-être songer à partir nous aussi. Ça fait plus de deux heures que nous picossons, fit Valentina en enfilant une dernière gorgée de l'excellent cappuccino.

Au même moment, la mystérieuse porte s'ouvrit et un des vieillards, le chauve obséquieux, boitilla jusqu'aux toilettes. Il laissa ladite porte légèrement entrouverte ; le maître d'hôtel et les garçons étaient disparus dans la cuisine. J'avais enfin ma chance. D'un élan que n'aurait pas renié Bruny Surin, je me précipitai en direction de la salle d'eau, au grand étonnement de Valentina, sérieuse-ment inquiète de ma façon d'agir.

— Mais tu es fou! Reviens tout de suite t'asseoir, cria-t-elle.

Il n'en était pas question. Parvenu à destination, je ralentis mon pas, puis mon œil gauche fit un rapide survol de trois cent soixante degrés. Personne. J'allais enfin pouvoir élucider une partie du mystère. Il fallait faire vite.

Manque de pot, le vieux Hermann sortait de la cuisine en trottinant.

Quoi qu'il pût advenir, je n'abandonnerais pas à un moment aussi crucial.

«Adrénalisé» d'une témérité et d'un courage peu communs, je plongeai ma tronche dans l'étroite ouverture pour découvrir les trois vieux S. S. — du moins je présumai qu'il s'agissait de S. S. — debout et faisant le salut nazi de leurs bras valides vers un personnage de taille moyenne posté à l'attention au bout de la table et qui, le plus naturellement du monde, acceptait les hommages de ces trois vieux bonzes.

«C'est pas possible! Je rêve», éclatai-je intérieurement.

Je dus garder mes réflexions pour moi, car le maître d'hôtel me fixait méchamment du regard.

Le plus innocemment possible, je poussai la porte des toilettes et faillis, dans ma précipitation, renverser le quatrième larron qui retournait vers ses pairs.

Mon intelligence se refusait à accepter ce que je venais de voir. C'est comme si tout mon système nerveux avait été atteint par la foudre.

Je me livrai à quelques exercices respiratoires, je secouai la tête dans tous les sens, puis fis quelques flexions de haut en bas et de bas en haut, mais inutile-ment. J'avais perdu toute maîtrise de ma psychomotricité.

Je crus être atteint de la maladie de Parkinson. Le miroir me renvoya une image apeurante: ce visage défait et blafard, ces yeux révulsés et torves, ces lèvres pendantes, était-ce bien moi ?

Je réussis peu à peu à retrouver une partie de mes sens en m'aspergeant d'eau froide. Mais j'étais toujours plus ou moins en état de choc, si bien qu'à ma sortie des toilettes, je m'accrochai dans le tapis et me retrouvai sur mon séant, au pied du vénérable Hermann et des deux garçons de table. Je n'en menais pas large.

Valentina se précipita vers moi :

— Tu n'es pas blessé au moins ?

— Dans mon orgueil, c'est tout. Attends que je te raconte ce que je viens de voir, lui chuchotai-je à l'oreille.

Mon regard se dirigea automatiquement vers la fameuse porte ; elle était fermée.

Hermann et ses sbires m'observaient sans mot dire, d'un drôle d'air.

— Vous voulez votre addition, *die rechnung* ? fit notre garçon en m'aidant à me relever.

Je n'avais qu'une hâte : raconter ma découverte à Valentina.

— *Sofort*. Tout de suite, répondis-je.

Puis me tournant vers ma femme :

— Attends, attends que je te raconte, répétai-je nerveusement.

— Calme-toi. As-tu vu le diable ? s'inquiéta-t-elle.

— Pire ! Je te le dis, tu ne me croiras pas.

Le garçon revint avec l'addition : 120 DM ou environ 110 $, une véritable aubaine.

D'un geste large, je lui présentai ma Visa Aéro Or.

— *Keine kredit karten*. Nous n'acceptons pas les cartes de crédit.

— Pas de cartes de crédit ? m'insurgeai-je. Mais qu'est-ce que c'est que cette maison ?

Le fait est que je m'en doutais un peu. Les Allemands, forts de leurs propres institutions et fiers de la puissance du mark, mettaient beaucoup de temps à laisser entrer dans leurs mœurs ce fameux système de cartes originaire des USA. On est patriote ou on ne l'est pas. D'autant plus que ces fiers Germains devaient toujours souffrir la présence des troupes de G. I. qui occupaient, depuis la fin de la Deuxième Guerre mondiale, quelques-uns des plus beaux sites de la Bavière. Ils possédaient, en sus, leur propre réseau radiophonique en plus d'avoir établi les quartiers généraux de l'importante et puissante *Radio-Liberty* en plein cœur de Munich. Sans doute, pour toutes ces raisons, se faisait-on un malin plaisir et un petit velours de refuser nos cartes de plastique. Majestueusement, j'exhibai un billet de 100 DM et deux billets de 20 DM.

— Gardez la monnaie, fis-je en grand seigneur.

Le garçon me remercia avec effusion. Je sentis que je m'en étais peut-être fait un ami, mais pas de Hermann ni de l'autre factotum qui, malgré leur politesse toute germanique, me regardaient plutôt glacialement.

Cela m'aurait coûté dix fois plus cher que je n'aurais pas rechigné ; j'étais en train de vivre une aventure que je n'oublierais jamais.

L'air de la rue me fit le plus grand bien. Je pris trois grandes respirations et exhalai voluptueusement.

— Eh bien, accouche, fit Valentina.

— Je ne sais pas si je devrais te le dire. Tu vas te moquer de moi.

— Mais non, mais non. Vas-y !

— Tu es sûre ?

— Imbécile !

— Tu as parlé du diable ?

— C'était une figure de style.

— Eh bien... Eh bien... je ne sais pas si je devrais.

Sa curiosité était à son paroxysme.

— Veux-tu cesser de me faire languir. *Mach schell, schinkenkopf!*

— C'est la première fois de ma vie qu'on me traite de tête de jambon.

— Il y a un commencement à tout. J'en ai vraiment marre de ce dialogue de sourds.

— O. K. O. K. Dans ce salon privé, il y avait donc les trois vieux S. S., l'autre étant en train de soulager sa vieille vessie...

— Comment sais-tu que ce sont des S. S.? m'interrompit-elle.

— C'était évident, non?

— Continue... continue...

— Il y avait donc les trois vieux S. S. ou nazis, comme tu voudras, qui se tenaient à peine debout, en train de faire le fameux salut nazi en direction d'un petit homme plutôt chétif portant l'uniforme militaire nazi; même que l'un d'eux ressemblait étrangement au docteur Folamour....

J'hésitai.

— Mais continue, *donnerwetter*, continue.

— Tu ne vas quand même pas te mettre à sacrer contre moi.

Elle fit mine de me frapper avec son sac à main.

— Tu ne me croiras pas, je te l'ai dit.

— Tu le fais exprès, je vais croire tout ce que tu voudras, mais laisse tomber la patate.

— Tiens, comme c'est joli «laisse tomber la patate». Est-ce bavarois comme expression? *Spuck die Kartoffeln aus*... comme ça sonne doux et poétique.

Justement en parlant de patates, nous étions arrivés à la hauteur de la rue Elizabeth, à quelques minutes du petit marché en plein air où se pressaient, comme d'habitude à cette heure-ci, une foule de clients qui venaient s'approvisionner pour le repas du soir.

Valentina, avec raison, était furieuse. J'avais assez joué avec ses nerfs.

— Il y avait donc, au bout de la table, un petit homme portant l'uniforme nazi.

— Tu l'as déjà dit.

— Eh bien, ce petit homme, crois-le ou pas, c'était...
Encore une fois, j'hésitai pour ménager mon effet.

— C'était?

— C'était Adolf Hitler en personne. Voilà!

— T'es complètement cinglé!

— Je te l'avais dit que tu ne me croirais pas. Et moi, tu voudrais que je croie à ce fantôme, à ce Charlie de ta mère.

— Non, mais Hitler, tu n'y penses pas. Il est mort dans son bunker à Berlin depuis plus de quarante ans. Il serait âgé d'au moins cent ans aujourd'hui.

— Pas besoin d'avoir la tête à Papineau pour conclure qu'il s'agit là d'un sosie.

— Qui c'est Papineau?

— Un patriote québécois qui s'est exilé en France et qui avait la tête pleine.

— Pfiou! exhala la mère de deux de mes trois filles. Tu parles d'une histoire, mais tu es certain de tout ça?

— Aussi vrai que tu es là. Je te le jure sur les têtes de ce que j'ai de plus sacré.

Je n'en revenais pas encore tout à fait moi-même. Quelle histoire! Que de vieux nostalgiques du nazisme se soient trouvé un sosie de leur héros et continuent à le célébrer dans ce restaurant, naguère le préféré de ce triste mégalomane, dépassait un peu mon entendement. J'avais d'ores et déjà pris la décision de pousser plus loin mes recherches, surtout d'essayer de découvrir qui était cet homme qui acceptait de jouer un rôle pareil.

L'Osteria Bavaria, en dépit de ses prix astronomiques, n'avait pas fini de m'avoir comme client.

— Tu veux manger quoi, ce soir? m'interrogea Valentina en me ramenant brusquement à la réalité.

— Ce que ton cœur te dictera, répondis-je doucereusement.

— Je nous fais une ratatouille, trancha-t-elle.

Pendant qu'elle s'affairait à acheter les courgettes, aubergines et poivrons qui la composeraient, j'allai, en catimini, lui acheter une douzaine de roses blanches chez le fleuriste voisin. Je me sentais généreux. La journée était fertile en émotions.

Quel joli marché avec toutes ses boutiques débordantes de fruits, de légumes, de fleurs et toutes ses odeurs d'épices, de fromages et de charcuteries de toutes sortes. Et ce *beergarten* — brasserie en plein air — où dès l'ouverture, aux petites heures du matin, s'assemblaient une horde d'amateurs de houblon pour qui cette belle bière noire ou blonde servait de petit déjeuner. J'ai d'ailleurs toujours eu beaucoup de mal à comprendre comment, avant de commencer une journée de travail, on pouvait s'envoyer un ou deux litres de bière derrière le nœud papillon. Il y avait toutefois un côté très démocratique à ces *beergarten* car, dans ce pays où les castes existent toujours, où l'on respecte la hiérarchie, les brasseries servaient de rassembleurs. On pouvait à la même table retrouver l'ouvrier, l'homme politique, le financier, la vedette de cinéma, l'intellectuel et quelquefois le clochard qui faisait le tour des tables et vidait ce qui restait au fond des chopes abandonnées.

J'étais toujours fasciné par ces clochards — il y en avait beaucoup à Munich — qui venaient s'installer, dès le lever du jour, dans un coin du marché, sous un orme immense et bien feuillu, autour d'une table placée en retrait, pour entreprendre leur marathon de soûlerie et d'oubli. La journée commençait par des discussions très animées et se terminait tard le soir dans l'hébétude et la désolation. Si, à certains moments, les choses s'envenimaient, on réglait celles-ci à coups de poing et, quelquefois, à coups de bouteille. Mais, heureusement, tous ces pauvres hères formaient une famille étonnamment unie et vivaient dans leur monde à eux. Comment pouvaient-ils trouver le fric pour satisfaire leurs vices, eux qui, contrairement à nos clochards québécois, semblaient ne jamais quêter ? Je me promis d'avoir le courage de le leur demander un de ces jours.

— Ça y est, on rentre, fit Valentina.

Galamment, je pris possession des trois sacs de victuailles et lui offris le bouquet de mon amour.

— «Pour toi, ces roses blanches, ma jolie maman», émis-je en me demandant pourquoi le fantôme de Fernand Gignac m'était soudainement apparu.

Je n'en étais plus à un fantôme près.

* * * * *

— Ivan Diadichev est mort! m'apprit Valentina, les larmes aux yeux.

Je mis quelques secondes avant d'enregistrer cette triste nouvelle. Je venais de passer une nuit cauchemardesque où s'étaient entremêlés, confus, les événements des deux dernières journées avec leur kyrielle de fantômes. Et voilà que cela continuait avec le décès de Diadichev, cet homme qui, une semaine plus tôt, m'était apparu solide comme un chêne, en dépit de ses quatre-vingt-cinq ans bien sonnés.

J'aimais bien Diadichev.

— Mais comment est-ce arrivé? fis-je en me frottant vigoureusement les yeux, histoire de secouer les fils qui embroussaillaient mon cerveau.

— Il est tombé sur la tête, du haut de son pommier. Nous l'avions pourtant prévenu de cesser de grimper dans les arbres. Tu t'imagines, à son âge.

Diadichev faisait partie de cette race d'hommes qui semblait immuable, dont la solidité physique et mentale résistait au temps et aux intempéries; il possédait cette aura d'immortalité propre aux êtres forts. Et voilà qu'il mourait en cueillant des pommes dans ce petit jardin dont il était si fier et où il passait le plus clair de son temps. Comme il l'aimait son potager, comme il le bichonnait, le pomponnait, le coucounait. C'était sa joie, sa raison de vivre. Et ce pommier qu'il avait lui-même planté, qu'il avait vu grandir et éclore avec ses belles fleurs de printemps. Et ce sourire éclatant de Diadichev quand il nous faisait la grâce de visiter son minuscule jardin sis à deux kilomètres du modeste appartement qu'il habitait avec sa nièce à Weiden, petite ville d'un peu plus de quarante-trois mille habitants située sur la Naab, à la lisière de la forêt d'Oberpfälz, dans le Haut-Palatinat. C'est là que ma femme avait passé son enfance et une partie de son adolescence, en compagnie de sa mère et de sa grand-mère.

Weiden, surtout célèbre pour ses verreries et ses manufactures de porcelaine, s'était aussi fait connaître à la fin des années cinquante par les nombreuses visites d'Elvis Presley, qui faisait son service militaire tout près dans le petit village de Neusort. Il allait à Weiden s'approvisionner en cigarettes et en victuailles, sous les yeux attendris de toutes les adolescentes de la ville, parmi lesquelles, pimpante et toute jolie dans son blouson et sa jupe bavaroise, émergeait ma future conjointe Valentina.

Le roi Elvis profitant d'un statut spécial, en raison de sa notoriété et de sa fortune, s'amenait dans une Cadillac rouge décapotable et, paraît-il, gratifiait ses admiratrices de sourires qui les laissaient souvent pantelantes et rouges de plaisir. Valentina n'oubliera jamais le clin d'œil qu'il lui lança, un certain samedi de septembre; elle se souvient encore du jour, de la date et de l'heure. Sacré Elvis! « *Love me tender, love me dear...* » Mais je ne suis pas jaloux. Moi aussi, j'ai beaucoup aimé Elvis, sans l'avoir côtoyé.

— Maudit destin! rageai-je.

Diadichev mort, c'est toute une époque qui s'éteignait pour Kyra et Valentina. Ce brave homme avait un peu servi de chef, de leader pour la trentaine de familles russes qui s'étaient établies à Weiden, à la fin de la Deuxième Guerre mondiale, et qui, dans un esprit de solidarité peu commun, avaient réussi à survivre à des moments extrêmement difficiles.

— Je vais tout de suite téléphoner à Evgenia, fit Valentina.

Evgenia, c'était la nièce avec qui il vivait depuis la mort de sa femme.

Ivan Diadichev, né au début du siècle à Kharkov, «deuxième ville de l'Ukraine et important carrefour ferroviaire reliant Moscou au Donbass» comme le dit le *Petit Robert*, avait fait carrière comme ingénieur du rail avant de s'exiler en Allemagne à la fin des années vingt, victime de son amour pour une belle Allemande.

Sa belle histoire d'amour, il me l'avait racontée par une belle nuit d'été, lors d'une de ses nombreuses visites à Munich.

— J'étais là, seul dans un petit bar du vieux quartier, écoutant une vague musique qui concordait parfaitement avec le vague que j'avais à l'âme. Je devisais intérieurement sur la futilité de la vie et sur l'incommunicabilité des êtres lorsqu'elle apparut, toute de noir vêtue, dans l'embrasure de la porte.

Il s'était alors arrêté pendant quelques secondes, très ému et les yeux pleins d'eau. J'écoutais moi-même avec émotion les confidences de cet homme que je rencontrais pour la première fois et qui se livrait sans ambages à l'inconnu que j'étais.

Puis il enchaîna:

— Mon cœur chavira douze fois et je fus saisi d'un incontrôlable tremblement qui me fit échapper le verre que j'avais à la main. Étant d'une nature terriblement timide, j'eus peur qu'elle ait remarqué mon désarroi, mais, heureusement, il n'en fut rien. Mais je vous embête avec mes histoires, s'interrompit-il.

— Au contraire, je vous en prie, continuez.

Me considérant moi-même comme ridiculement romantique et parfaitement anachronique, j'étais tout ouïe.

— Merci d'écouter un vieil homme et ses vieilles histoires, mais si vous saviez quel bien ça me fait de raconter le seul amour de ma vie.

Il essuya une larme puis poursuivit :

— Elle s'est assise à une table, un peu en retrait. Je pouvais quand même l'observer et l'admirer dans l'immense miroir qui me servait de rétroviseur. Plus je la regardais, plus je tombais éperdument amoureux d'elle, mais cette maudite timidité me figeait sur place et j'étais complètement paralysé. Si seulement elle m'accordait un furtif regard, toutes les valves amoureuses de mon cœur s'ouvriraient et j'oserais sans doute.

Encore une fois, il s'arrêta pour essuyer une larme.

Même si je devinais l'issue de cette belle histoire, j'avais hâte d'en connaître la fin.

— Il fallait absolument me décider, car je devais reprendre mon travail. Et, alors, le miracle se produisit. Elle tourna doucement la tête dans ma direction et me gratifia du plus beau sourire que j'aie vu, de toute ma vie.

À ce souvenir, son visage s'était illuminé ; il avait de nouveau vingt ans.

— Et la suite ? interrogeai-je.

— Qu'il me suffise de vous dire que jamais je n'aurai vécu un aussi grand amour.

— C'est une bien belle histoire. Je vous remercie de me l'avoir contée.

Le 28 mai de l'an de grâce 1929, Ivan Diadichev épousait la comtesse Isolde Von Tryden, dont les origines remontaient à la dynastie des Hohenstaufen au XIIe siècle. Lui, l'humble ingénieur du rail de Kharkov, quittait sa ville natale et son pays par amour pour une aristocrate. Après une longue lune de miel en Italie, le couple s'installa dans le château familial dans le Rheinland.

Leur bonheur fut de courte durée. Cinq ans plus tard, Isolde Von Tryden mourait, victime d'une maladie incurable. Inconsolable, Ivan songea un instant à retourner en Ukraine, mais, devenu citoyen allemand, il choisit de demeurer dans son pays d'adoption et finit par être embauché par la Société allemande des chemins de fer. Inquiet de la montée du nazisme, il prit la décision d'aller s'installer dans cette petite ville de Weiden, à une quarantaine de kilomètres de la frontière tchécoslovaque. Quelques années plus tard, Hitler et ses hordes envahissaient la Pologne et déclenchaient la Deuxième Guerre mondiale.

Diadichev détestait parler de cette période et je respectai son silence.

Je sus plus tard qu'il avait dû vivoter pendant presque six ans en se cachant dans les bois environnants avec quelques-uns de ses compatriotes.

Une fois la guerre terminée, il forma un mouvement de solidarité russe dans la ville de Weiden et s'occupa de la nièce de sa défunte femme, dont toutes les possessions et tous les domaines étaient tombés aux mains des nazis.

Evgenia Von Tryden était de vingt ans sa cadette. Elle resterait avec lui jusqu'à sa mort.

Diadichev est mort. J'aimais bien Diadichev. Je le connaissais peu, mais se dégageaient de tout son être une chaleur et une joie de vivre qui étaient communicatives, une certaine naïveté aussi. Lui, qui avait passé une partie de sa vie sur des rails, rêvait de la mer et des océans. À chaque visite, nous nous retrouvions tous immanquablement sur le lac Starnberg, à une cinquantaine de kilomètres de Munich : un grand lac s'étirant sur une distance de vingt kilomètres, bordé de rives boisées, de villas et de châteaux.

C'est d'ailleurs là que Louis II de Bavière avait passé les dernières heures de son existence. Au cours d'une promenade en bateau, le roi fou se jeta dans le lac, entraînant dans la mort le médecin qui l'accompagnait.

Diadichev louait un bateau d'une extrême lenteur, mû à l'électricité, et jouait les capitaines au long cours, troquant pour l'occasion son chapeau feutre pour une casquette d'amiral achetée dans un marché aux puces.

— Attention ! Attention ! Bâtiment à tribord ! hurlait-il, à la vue d'une chaloupe où se bécotaient des amoureux.

Et nous, Kyra, Valentina, Julia, Nina et moi, entrions dans le jeu.

— *Aye, aye,* capitaine, l'artillerie est prête. Canons en position. Bang ! Bang ! avais-je fait un jour.

Il m'avait regardé d'un drôle d'air, croyant peut-être que je me moquais de lui, mais une autre chaloupe émergeant à bâbord attirait son attention. Il était comme un enfant. Une heure plus tard, nous revenions à bon port, après avoir survécu à des mers houleuses et aux attaques de sanguinaires flibustiers, et nous attablions autour d'une bonne chope de bière et d'un immense plat de radis géants et de *brezeln*.

Le soir tombé, Diadichev reprenait le train pour Weiden, heureux d'avoir joué au capitaine.

Quelquefois, j'allais le conduire à la gare et, pendant le trajet, il me parlait de Tchekhov et de Pouchkine. Il me racontait l'Ukraine et ses premiers habitants, les Scythes et les Sarmates, l'occupation par les Huns, les Goths et les Khazars. Inévitablement, il me reparlait de la seule femme de sa vie, cette Isolde avec qui il avait vécu cet exceptionnel et trop bref amour.

Pauvre Diadichev. Il allait nous manquer.

Deux jours plus tard, dans la BMW d'Heinrich, nous parcourions les quatre cents kilomètres séparant Munich de Weiden pour assister aux funérailles de notre vieil ami, sans doute en train de conduire à bon port le vaisseau de ses rêves sur une quelconque mer céleste.

Il faisait un temps de chien. En l'espace de quelques heures, un foehn vicieux et violent soufflant des Alpes environnantes faisait passer la température de vingt-neuf à douze degrés et il tombait des clous.

— À Regensburg, tu me cèdes le volant, fit Valentina.

— Quoi, tu n'as pas confiance en mes talents de chauffeur? répliquai-je, plus ou moins insulté.

Le fait est que je n'aimais pas tellement conduire sur les *autobahn,* où la plupart des automobilistes se prenaient pour des pilotes de Formule 1 avec leurs grosses Mercedes et BMW. Ils ne pouvaient supporter qu'une voiture de prolétaire les précédât, de sorte que le pauvre étranger qui avait le malheur de s'aventurer dans la troisième voie, celle d'extrême gauche, avec sa voiture moins rapide, se faisait irrémédiablement coller au flanc de fort dangereuse façon. Qu'il y eût si peu d'accidents tenait du miracle.

Sans m'en rendre compte, je filais à cent quatre-vingts à l'heure et pestais contre le chauffeur d'une Citroën qui ne voulait pas me céder le passage. J'en étais arrivé à me prendre pour un Teuton, du moins sur les autoroutes, et ne voulais en rien laisser insulter la compagnie BMW par une vulgaire voiture française immatriculée à Paris et conduite en plus par un Français. J'avais beau l'inonder de mes phares, le klaxonner comme un dément, rien à faire, il me défiait de toute la puissance de sa Diane Six.

— Il veut la guerre, cette tête de lard, il va l'avoir.

Je jetai un coup d'œil dans mon rétroviseur droit, la voie était libre. D'une manœuvre digne de Villeneuve, je le doublai sur la droite et, à deux cents à l'heure, je repris la position de tête, après lui avoir envoyé un long pied de nez.

C'est précisément à ce moment-là que Valentina m'avait dit: « À Regensburg, tu me cèdes le volant. »

Pour la sécurité et le confort des quatre membres de ma famille, j'acquiesçai d'un signe de tête.

— A-t-on idée de conduire en fou par un temps pareil! Qu'est-ce que t'as dans la tête? À peine l'espace pour un rhume de cerveau.

Elle avait elle-même répondu à sa question. Heureusement d'ailleurs, car rien d'intelligent ne me venait à l'esprit.

— Vous venez d'avoir une belle démonstration de ce qu'il ne faut pas faire au volant, fis-je humblement à l'endroit de mes deux filles, vertes de peur.

Quant à ma belle-mère, elle avait choisi de passer outre, mais son regard en disait long sur mes prouesses.

Nous nous arrêtâmes donc à Regensburg pour faire le plein et changer de chauffeur.

La pluie continuait à tomber de plus belle et des bourrasques de vent soufflant à plus de quatre-vingts kilomètres-heure menaçaient de nous projeter dans le fossé.

Grâce à la maîtrise et à la prudence de Valentina, nous arrivâmes avec une heure de retard et nous dirigeâmes immédiatement vers le petit cimetière où l'officiant, tout de noir vêtu, tenait d'une main un parapluie et de l'autre un quelconque livre pieux. Son laïus se perdait dans le vent et la pluie, de sorte que la trentaine d'amis qui faisaient cercle autour du pasteur ne surent jamais dans quelle langue il s'était exprimé.

En plein mois de juillet, nous grelottions sous nos cirés et nos parapluies et je me surpris à envier notre ami Ivan qui voguait au-dessus de tout ça. Au moment de la mise en terre, comme si les dieux voulaient souhaiter la bienvenue à un des leurs, un éclair vint percer les nuages, suivi d'un retentissant coup de tonnerre. La foudre nous avait ratés de quelques mètres en s'abattant sur un chêne dont la partie supérieure déchiquetée se transforma en dizaines de fléchettes qui atterrirent sur le sol mouillé, sans heureusement toucher personne.

Sacré Diadichev! qui venait nous souhaiter un dernier adieu, tout à la joie d'enfin retrouver son Isolde.

Une petite fille, haute comme trois pommes, jeta ensuite dans la fosse la vieille casquette d'amiral achetée au marché aux puces, ce qui eut pour effet d'activer les glandes lacrimales de tous les spectateurs présents.

«Salut, Diadichev! Bon voyage et bonne voile, fis-je intérieurement. Tu le mérites bien.»

Je levai machinalement les yeux au ciel comme pour apercevoir une dernière fois ce vieil ami. C'était peut-être lui, ce rayon de soleil qui perçait modestement au loin, derrière la montagne.

La pluie avait cessé et les vents s'étaient calmés. Nous allions maintenant passer aux célébrations dans une auberge du coin.

Evgenia agissait comme hôtesse et avait décidé de faire les choses en grand; c'est elle qui avait choisi le menu: *Knödelsuppe*, « bouillon avec boulettes de viande », *Schweinbraten mit Knödeln*, « rôti de porc avec toujours ces boulettes », et pour dessert une spécialité bavaroise, le *Zwetschgendatschi*, une sorte de tarte aux prunes recouverte d'une crème épaisse et d'un soupçon de sucre; le tout arrosé de bière blonde servie dans les *mass*.

Comme il se doit dans pareilles circonstances, l'humeur joyeuse était revenue et chacun se remémorait les bons souvenirs.

Le houblon aidant, ceux qui avaient du talent ou qui pensaient en avoir s'exécutèrent. La petite fille qui avait lancé la casquette d'amiral dans la fosse récita un court poème en russe et déclencha quelques larmes chez ceux qui parlaient la langue de Tolstoï, entre autres chez Kyra et Valentina.

Un vieil ami de Diadichev, Vladimir Khrapko, originaire lui aussi de Kharkov, interpréta, d'une magnifique et très grave voix de basse, cette complainte d'une immense tristesse : *Vykhozhu odin ja na dorogu*, qu'on pourrait approximativement traduire en français, selon Valentina, par «Je pars seul au bout de la route». Encore quelques larmes, mais, heureusement, Vladimir enchaîna avec une *kasachuk*, laquelle changea immédiatement l'atmosphère et amena sur la piste trois jeunes Russes qui se firent aller les guiboles avec une maîtrise et une énergie n'ayant presque rien à envier aux danseurs de la troupe Moïsseïev.

Des amis allemands, ne voulant pas être en reste, y allèrent de leurs petits numéros, surtout des chansons à boire, qui eurent l'effet désiré, c'est-à-dire de nous donner de plus en plus soif.

Mes filles Julia et Nina chantèrent fort joliment *O Tannenbaum* en duo, même si c'était légèrement hors saison.

Valentina et Kyra démontrèrent leur talent de danseuses à claquettes en s'exécutant sur l'air de *Tea for two* accompagné par l'aubergiste qui agissait comme accordéoniste de service.

Je me faisais tout petit, craignant qu'on ne me demande à moi aussi de faire ma part et de démontrer mes talents cachés. Je n'en avais pas. Surtout pas pour la danse.

— Chante quelque chose, n'importe quoi, me glissa Valentina à l'oreille.

— Oui, mais quoi? Il faut que ce soit quelque chose que l'accordéoniste connaisse.

J'avais eu, dans mes années de collège, un certain succès en imitant Al Jolson, un chanteur américain très populaire dans les années trente et quarante. Et justement, un de ses grands tubes, *Anniversary Song*, était à l'origine une mélodie russe. Je sifflotai l'air au musicien et il me fit signe qu'il connaissait. N'ayant pas imité ce brave Al depuis au moins une trentaine d'années et la gorge un peu nouée par l'humidité et l'émotion, je fis une prestation plus que moyenne. On m'applaudit poliment. En terme de métier, on appelle ça un bide.

La nuit tombait lorsque nous offrîmes, une dernière fois, nos hommages et nos condoléances à notre hôtesse Evgenia.

— Je trouve que tu as beaucoup bu, s'inquiéta ma fille Nina.

— C'est en hommage à Diadichev, répondis-je.

— Toutes les raisons sont bonnes, ajouta Julia.

— Quelle belle nuit! s'extasia Kyra.

— Merci pour cette belle journée, mon vieux Ivan, fis-je.

— Donne-moi les clés, fit Valentina.

«Si tu voulais danser sur ma musique... tam tidilam...» entonnai-je.

— En voiture! m'interrompit ma moitié.

Quand l'auto s'immobilisa devant le 28, Kurfürstenstrasse, tout le monde roupillait.

* * * * *

Je savais qu'il s'était passé quelque chose de bizarre pendant la nuit. À travers les vapeurs qui embuaient mon cerveau, j'essayais de me souvenir; difficile souvent de faire la part du rêve et celle de la réalité.

Je bousculai le siège de mes pensées, je le triturai et m'apprêtai à lui flanquer une raclée quand, tout à coup, il cria grâce. La lumière se fit.

— Eurêka! gueulai-je en hommage à Archimède.

Je me souvins d'avoir entendu des voix pendant la nuit, une espèce de mélopée très lente et un peu lugubre semblant émaner de l'étage du dessous.

— Non, c'est pas possible... les Dengler? réfléchis-je tout haut. J'ai sûrement rêvé.

— Dis donc, as-tu entendu de drôles de bruits venant de chez les Dengler vers les quatre heures du matin? m'interrogea Valentina, qui faisait une agréable irruption dans mon intimité.

— Donc, je n'ai pas rêvé. Ce n'étaient pas des bruits, mais quelque chose comme un chant triste à deux voix. On aurait dit une litanie.

Les Dengler étaient les plus anciens locataires du 28, Kurfürstenstrasse et, sans aucun doute, les plus discrets et les plus sédentaires.

On disait souvent: «Les Dengler, on ne les voit pas, on les sent.» On les sentait surtout à cause de ces effluves de soupe aux choux qui filtraient à travers leurs portes et leurs fenêtres. Il nous arrivait parfois, si on se levait assez tôt, d'apercevoir *Frau* Dengler en train d'étendre sa lessive sur une corde à linge accrochée à leur balcon arrière. Elle faisait certainement dans les soixante-dix ans et ne s'était sûrement pas coiffée depuis au moins la fin de la Deuxième Guerre mondiale. Quant à *Herr* Dengler, je l'avais croisé une fois, sans savoir qui il était. Je me souviens d'avoir été intrigué par cette tête chauve sur le dessus et touffue sur les tempes et surtout par ces yeux gris fer perçants surmontant un nez en pied de marmite. Il ressemblait à s'y méprendre à sir Wilfrid Laurier, nez en moins. (Excusez-la.)

Nous avions aussi remarqué, depuis quelque temps, qu'aux odeurs de choux se mêlaient souvent des odeurs d'encens. Vraiment pas de quoi intéresser Chanel ou Lise Wattier.

— Serait-ce ce bon Charlie qui voudrait nous jouer des tours ? fis-je innocemment.

— Qui a parlé de Charlie ? cria ma belle-mère qui, elle aussi, faisait irruption dans ma plus très stricte intimité.

— Moi, mais c'était une blague.

— Une blague… une blague… Y a pas de quoi faire des blagues.

Je vis à sa physionomie que la nuit avait été difficile, sinon agitée.

— Imaginez-vous que je lisais, comme d'habitude, quelques pages de Pouchkine avant de dormir quand, tout à coup, j'ai senti une présence dans la chambre.

Elle s'arrêta pour avaler une gorgée de café.

— Puis, j'ai entendu des pas qui avançaient doucement en longeant mon lit jusqu'au gros fauteuil près de la fenêtre. Brusquement, les pas se sont arrêtés et, croyez-le ou non, il s'est fait un creux dans le fauteuil comme si quelqu'un s'y assoyait.

— Ben voyons donc !

— Y a pas de voyons donc, c'est la pure vérité. Je vous le jure sur la tête de mon cher papa Nikolai. Et ce n'est pas tout : il s'est mis à taper du pied.

— Vous êtes certaine que vous n'avez pas rêvé ? s'inquiéta Valentina.

— Taper du pied... taper du pied... voyons donc, émis-je.

— C'est tout ce que tu peux dire : « Voyons donc » ? s'insurgea ma femme qui, une fois de plus, prenait la part de sa mère. T'as bien entendu des voix, toi.

— Toi aussi et, de toute façon, c'était quelque chose de concret. Ça venait de chez les Dengler.

Je décidai de me taire en voyant le teint pâle et l'air un peu hagard de ma belle-mère. Rêve ou pas, elle avait eu franchement peur. Puis, ce fut au tour de Julia de s'amener, pâle et les yeux cernés.

— Moi aussi, j'ai entendu des bruits toute la nuit, comme si quelqu'un s'amusait à tout jeter par terre dans la cuisine.

— Décidément, nous vivons dans une maison hantée, laissai-je tomber.

Pour la première fois, un doute vint percer mon scepticisme : tellement d'événements bizarres s'étaient produits en même temps auprès de plusieurs personnes et à des moments divers ! Je sentis un frisson me dévaler l'épine dorsale et me promis de percer au moins le mystère des voix chez les Dengler. Oui, mais comment faire ? Personne n'était jamais entré dans leur habitacle.

C'est ma fille cadette Nina qui devait finalement trouver la solution.

— C'est simple. Comme notre corde à linge donne sur leur balcon, tu y laisses tomber une de tes vieilles chaussettes ou un de tes vieux slips et le tour est joué.

— Génial, ma fille ! Tu fais honneur à ton géniteur, m'exclamai-je, tout en me demandant pourquoi, quand elle parlait de mes chaussettes ou de mes slips, elle les qualifiait toujours de vieux.

J'optai pour une de mes plus belles chaussettes, toute blanche et proprette, et, après m'être assuré que personne ne m'observait, je balançai négligemment la chose, qui hésita un court instant sur le grillage du balcon Dengler et, à mon grand dépit, alla atterrir plus bas sur celui de *Herr* Graf.

— Merde ! fis-je, pendant que les miens se bidonnaient comme des fous.

Je m'emparai de l'autre chaussette et, cette fois, ne ratai pas mon coup : un assez joli coup d'ailleurs, puisqu'elle tomba en plein centre du balcon. Je laissai s'écouler une heure et me présentai, affichant mon plus beau sourire Colgate, à la porte du mystérieux couple. Je poussai le bouton de la sonnette, qui activa Dieu sait quel mécanisme, et fus accueilli par les premières mesures de l'hymne national allemand, le *Deutschland über alles*, ce qui eut pour effet de déclencher chez Jenny, la chienne de la voisine, une série de jappements propre à réveiller tout le voisinage.

— *Wer ist da ?* Qui va là ? fit une voix haut perchée à travers la porte.

— C'est moi, votre voisin d'en haut, fis-je en haut perchant moi aussi la voix sans trop savoir pourquoi.

Il se fit un silence qui dura bien une soixantaine de secondes, puis une autre voix, beaucoup plus basse celle-là, répéta :

— *Wer ist da ?* Qui va là ?

— Votre voisin d'en haut, le conjoint de Valentina et, pour ainsi dire, le gendre de Kyra, répliquai-je, avec ma plus belle voix de basse bouffe.

Dans l'appartement d'en face, la chienne Jenny, que j'apprenais tranquillement à haïr de toutes mes forces, continuait à s'époumoner comme si on attentait à sa vie. Je me promis d'ailleurs de verser un peu d'arsenic dans sa pâtée à la première occasion, quitte à me faire interner par la S. P. A. B. R. (Société protectrice des animaux de la Bundesrepublik).

La porte s'ouvrit alors toute grande et apparut, dans toute sa splendeur, sir Wilfrid Laurier. La ressemblance était frappante.

— *Herein, bitte*. Mais entrez, voyons. Quel plaisir de faire connaissance avec le conjoint de la belle Valentina.

— Je ne vous dérange pas, j'espère.

— Vous n'êtes pas sérieux... nous déranger. Au contraire, venez vous asseoir. Un petit café peut-être? Mon épouse est une véritable caféinophile et va nous préparer une de ses concoctions dont vous me donnerez des nouvelles.

— Bien... avec plaisir, hésitai-je. Mais je ne voudrais pas abuser...

— Donnez-moi cinq minutes, fit la voix haut perchée, celle de *Frau* Dengler; je vous prépare un café javanais.

Jamais je ne me serais attendu à pareil accueil. Mis en confiance, je me hasardai, après avoir parlé de tout et de rien et après avoir récupéré ma chaussette, à m'enquérir sur les drôles de sons entendus durant la nuit.

— Ah! mais c'était nous, répondit franchement *Herr* Dengler. Nous étions en plein exercice de méditation et avions quelques démons à exorciser. Rien de trop sérieux toutefois, soyez sans inquiétude.

— Vous faites ça toutes les nuits?

— Non, non, je vous rassure. Seulement les nuits de pleine lune. Désolé de vous avoir tenu éveillé, mais il faisait si chaud que nous avons gardé toutes les fenêtres ouvertes. Ah! voici nos cafés!

Pour la première fois, je voyais *Frau* Dengler de pied en cap. Jusque-là, je n'avais connu que sa nuque et son dos. Faussement, j'avais cru avoir affaire à une vieille sorcière et je découvrais une femme certes coiffée à l'ancienne et le visage passablement ridé, mais illuminée par un sourire doux et énigmatique à rendre jalouse la Mona Lisa.

— Vous m'en donnerez des nouvelles, haut percha-t-elle en m'offrant ce qui me sembla être un dé dans lequel gisait un liquide aussi noir que de l'encre de Taiwan.

Je n'avais jamais vu de tasse aussi minuscule.

— Buvez très lentement et par très petites gorgées, me conseilla-t-elle.

— *Zum wohl!* Santé! lançai-je, me demandant dans quelle aventure je m'embarquais.

Ils me regardaient tous les deux, la gueule fendue jusqu'au nombril.

Pendant un instant très court, me vint à l'esprit qu'on tentait peut-être de m'empoisonner, idée vite balayée du revers de la main. Ils avaient l'air si gentils tous les deux.

«Oui, mais les deux vieilles de *Arsenic et vieilles dentelles* avaient aussi l'air si gentilles et si bonnes», me suggéra mon subconscient, qui ne cessait de m'écœurer depuis ma naissance.

— *Prosit!* firent-ils simultanément, en se mouillant prudemment les lèvres.

Parfaitement rassuré, j'oubliai les recommandations de *Frau* Dengler et vidai mon dé d'un trait. Je n'aurais pas dû. J'eus nettement l'impression d'avoir avalé le Merapi, le Bromo et les vingt autres volcans actifs de l'Indonésie. J'étais en pleine éruption; je dégoulinais de lave. Je comprenais maintenant pourquoi on nous servait ce café-dynamite dans un dé.

«Adieu, famille! Salut, papa, salut, maman, j'arrive.»

Je me voyais déjà dans ce fameux tunnel tout illuminé dont parlent les morts revenus miraculeusement à la vie et j'entendis une voix céleste un peu haut perchée me dire:

— Buvez ceci, ça vous remettra.

Sans me faire prier, j'avalai le contenu d'un dé de schnaps à base de myrtilles de Schleissheim dont la douceur calma instantanément le feu que j'avais au fond du gorgoton.

— Ouf! émis-je.

— Pauvre vous, nous aurions dû vous préciser que ma chère épouse ajoute toujours un soupçon de poivre de Cayenne pour donner encore un peu plus de personnalité à ce café qui, pourtant, n'en manque pas.

— C'était excellent, mentis-je.

— Alors, une autre petite tasse? suggéra *Frau* Dengler.

La gorge encore en feu, je déclinai poliment.

— Peut-être un autre petit schnaps? proposa *Herr* Dengler.

— Et pourquoi pas, mais à condition que vous m'accompagniez.

Pendant que mon nouvel ami s'affairait à verser quelques gouttes de cet élixir dans un autre dé, je m'attardai à jeter un coup d'œil sur le décor. Je n'avais jamais rien vu de semblable.

— Cul sec, lança-t-il en avalant le contenu de son dé.

Je fis de même.

Frau Dengler trottina jusqu'à la cuisine en chantonnant, sur un air de vieux folklore bavarois : « Je vous prépare une petite collation. »

J'allais vigoureusement m'y opposer, mais *Herr* Dengler me fit signe de me taire.

— Ne refusez pas, elle serait insultée. Ma femme est une cuisinière accomplie ; une véritable artiste. Elle connaît tous les secrets de la macrobiotique. Vous verrez, vous ne regretterez pas.

Visiblement, nous étions dans la salle de séjour, une salle de séjour on ne peut plus dépouillée où régnait le blanc : le plafond, les murs, tout était d'une impeccable blancheur. Seule une énorme affiche, au-dessus de ce qui avait dû être un foyer, ajoutait un peu de couleur à la pièce. De chaque côté de ce faux foyer, deux paniers d'osier identiques attirèrent mon attention.

Dengler s'en aperçut.

— Ah! ah! vous aussi êtes intrigué par ces deux paniers. Attendez, je vous réserve une petite surprise.

L'excentrique septuagénaire alla quérir une petite flûte et, sourire en coin, s'installa face aux paniers, dans la position du lotus, et se mit à souffler doucement dans son instrument.

J'avais déjà rencontré des gens bizarres dans ma vie, mais là, le couple Dengler dépassait de cent coudées tout ce que j'avais connu.

Plus je l'observais, plus il me faisait penser au savant détraqué du film *Back to the future*.

Était-ce bien moi qui vivais tout ça ? m'interrogeai-je au moment où, dans un crescendo, je vis apparaître les têtes de deux serpents qui émergeaient doucement de chaque panier. Je fermai rapidement les yeux, puis les rouvris aussitôt. Je n'avais pas rêvé : deux boas se dandinaient au son de cette musique hindoue et, charmés par la virtuosité de *Herr* Dengler, finirent, raides comme des barres, par se manifester dans toute la splendeur de leurs deux mètres. Dire que je jouissais vraiment du spectacle serait mentir effrontément. Pour ne rien me cacher et pour utiliser une belle expression bien de chez nous : j'avais la chienne, d'autant plus que Dengler avait déposé son instrument et que les deux ophidiens, tout à la joie de pouvoir un peu s'épivarder, coulaient dangereusement dans ma direction.

Dengler s'empressa de me rassurer :

— Soyez sans inquiétude. Ils sont très gentils et ne feraient pas de mal à une mouche.

« Peut-être pas à une mouche, mais à un pauvre Québécois temporairement transplanté, rien de moins sûr », me dis-je.

C'est qu'ils s'approchaient, les vlimeux, et semblaient s'intéresser à la texture de mes Hush Puppies.

— Les boas ne sont pas venimeux et, de toute façon, vous êtes beaucoup trop grand pour eux, ricana le bon vieillard.

Je n'étais pas convaincu, d'autant plus que leurs deux mètres battaient mon mètre quatre-vingt-quinze.

— Ils vont vous flairer et, si vous leur plaisez, vont probablement s'enrouler autour de votre cou, sans plus.

La perspective de quitter ce monde ingrat étouffé par un boa ne me plaisant pas particulièrement, je prétextai un besoin naturel et me fis indiquer la direction des toilettes. Je faillis me buter à *Frau* Dengler qui s'amenait, toute guillerette, avec un grand bol rempli jusqu'au bord et une petite boîte qu'elle ouvrit et d'où sortirent deux souris bien vivantes, tout de suite prises en chasse par les deux serpents qui, pour mon plus grand confort, se désintéressèrent de ma plus que modeste personne. En moins de temps qu'il ne faut pour crier *Achtung*, les deux petites bêtes figèrent sur place, hypnotisées par les visqueux prédateurs.

— *Guten Appetit!* Bon appétit! lançai-je, heureux de voir leur attention détournée de mes Hush Puppies.

Je pris la courageuse décision de passer une bonne quinzaine de minutes dans la salle de bain, histoire de me remettre de mes émotions, d'éliminer les derniers vestiges du puissant café javanais et du schnaps à base de myrtilles de Schleissheim et surtout de donner le temps à Fric et Frac — surnoms que j'avais attribués à mes amis reptiles — de réintégrer leurs habitacles respectifs.

À mon retour, m'attendait une assiette remplie d'une espèce de potage très épais et dont la couleur verdâtre me donna immédiatement la nausée.

— Vous m'en donnerez des nouvelles, fit *Herr* Dengler, qui enfourna une pleine louche de cette lavasse, pendant que son épouse m'observait dans l'expectative réjouissante de ma réaction.

J'hésitai quelques secondes, mais comme ils me regardaient tous les deux, je n'avais pas le choix; pas question de les décevoir.

Je pris donc mon courage à deux mains et à dix doigts, je plongeai ma cuillère dans le bol fumant et, sans donner le temps à mes papilles gustatives de réagir, j'avalai cette potée en évitant d'afficher mon dégoût.

— Délicieux! ânonnai-je sans avoir vraiment goûté, sauf que subsistait un arrière-goût de salsifis qui me ramena tout droit aux premières années de mon existence.

Je me revis à l'âge de dix ans. Ma mère, toujours soucieuse de ma santé, qui disait : « Mange tes salsifis, si tu veux grandir. »

Ce souvenir me fit sourire, ce que Dengler prit pour une approbation des talents culinaires de sa femme.

Je dus donc vider mon assiette sous les regards attendris de mes hôtes.

— Vous savez que si vous adoptez la macrobiotique, vous pourrez augmenter votre durée de vie, m'annonça Dengler.

Je n'osai pas lui dire que je préférais probablement vivre moins longtemps et continuer à me taper une bonne bouffe à l'occasion.

— Rien comme un petit schnaps pour faire passer tout ça. J'ai ici un schnaps à base de mirabelles qui vous enchantera.

Leur hospitalité n'avait pas de limites.

— Je vous remercie, mais mon estomac demande grâce. Je n'ai pas tellement l'habitude de boire ces alcools et surtout pas si tôt dans la journée.

— Comme vous voulez, se résigna-t-il, déçu.

Cela ne l'empêcha pas de s'en envoyer deux autres avec une joyeuse gaillardise.

— Si vous êtes intéressé, cher ami, nous nous livrons tous les trois mois à une séance de spiritisme avec un médium doué de pouvoirs extraordinaires : Kun-lun Tsang-po, qui m'a permis de communiquer à plusieurs reprises avec mon défunt père, mort il y a maintenant trente ans dans des circonstances assez bizarres.

Moi qui ne croyais à peu près en rien sauf en ce que je voyais et qui était tangible, je me trouvais tout à coup emberlificoté dans des histoires de fantômes, de spiritisme, de zen, de boas mystiques et quoi encore.

— Vous voyez cette affiche au-dessus du foyer ?

Je fis signe que oui. On pouvait difficilement la rater.

— Eh bien, il s'agit là de mon maître spirituel, de mon gourou, ce Kun-lun Tsang-po dont je vous parlais tout à l'heure : un homme doté d'un magnétisme irrésistible.

Mon regard se fixa un peu plus longuement sur ce personnage étonnant qui, de prime abord, m'avait plutôt fait penser à un Jacques Demers asiatique avec des bajoues plus pendantes, plus molles et forcément avec des yeux plus bridés. Vraiment rien pour inspirer le recueillement et la méditation. Intéressant quand même de découvrir que l'ancien entraîneur du célèbre Canadien de Montréal avait un sosie tibétain, peut-être même un descendant de dalaï-lama ou de pachem-lama.

Je commençai à douter sérieusement de la crédibilité de *Herr* Dengler, qui en était à son cinquième ou sixième schnaps et dont la langue s'épaississait en proportion de ses libations.

— Si vous avez communiqué avec votre défunt père, sans doute vous a-t-il raconté comment il était mort ?

— Je lui ai plusieurs fois posé la question et, chaque fois, manque de pot, la communication se brisait.

À mon grand désespoir, il avait récupéré sa flûte et entrepris de charmer Fric et Frac, dont l'intérêt pour mes Hush Puppies n'était pas sans m'inquiéter au plus haut point. Je songeais à fausser compagnie à ce charmant couple, mais ma curiosité l'emportait sur ma frousse.

Je nageais en plein délire, en pleine folie. Je me demandais sérieusement si on n'avait pas subrepticement glissé quelque poudre magique dans le café ou dans cette espèce de bouillabaisse macrobiotique.

Les deux boas, ne pouvant résister aux accords de plus en plus biscornus de la flûte, se montrèrent une fois de plus la tête.

Il me fallait absolument distraire l'attention de mon hôte.

— Comment il était, votre père ? risquai-je à tout hasard.

Il s'arrêta net et, comme par enchantement, les têtes de Fric et Frac disparurent au fond du panier.

— Un véritable fou, monsieur, fou à lier. Pour ne rien vous cacher, mais ça, c'est strictement entre nous, je le soupçonne même d'avoir assassiné notre voisin de l'étage du dessus en le poussant dans le vide à travers la grande fenêtre du salon. Il n'aimait pas du tout *Herr* Maïglökchen.

J'étais sidéré.

— Mais l'étage du dessus, c'est nous qui l'occupons maintenant.

— Très juste, très juste. Deux semaines après cet incident, on retrouvait le corps de mon père dans la chambre d'un bordel du quartier de Stacchus, un couteau planté entre les deux omoplates. On n'a jamais retrouvé l'assassin, sans doute une prostituée. L'enquête n'a jamais abouti.

Je pris une grande respiration et tentai de secouer mes neurones. C'était trop pour un même matin.

— Et puis, de toute façon, il n'a eu que ce qu'il méritait, conclut le vieil homme en reprenant sa maudite flûte.

Je ne savais pas comment ma famille réagirait quand je lui apprendrais que nous occupions l'appartement de *Herr* Maïglökchen, défenestré par les bons soins du paternel de Dengler, lui-même poignardé par une pute.

Et là, sans crier gare : le flash. Un flash qui vient vous frapper comme l'éclair, comme un coup de tonnerre. Et si le fameux fantôme, ce Charlie ou Karli, c'était celui du bonhomme Dengler qui revenait sur les lieux de son crime ou encore celui de Maïglökchen qui tentait de réintégrer l'appartement d'où il avait été si sauvagement expulsé ?

Frau Dengler vint me sortir de mes pensées plutôt troubles en m'offrant une autre de ses concoctions, que je refusai gracieusement.

Puis, se tournant vers son époux de plus en plus hirsute sur les tempes, elle l'invita, en des termes étonnamment violents, à cesser ses libations au plus coupant. Elle lui arracha ensuite la bouteille des mains et j'en profitai pour prendre un congé bien mérité.

— Revenez quand bon vous semblera, notre porte vous sera toujours ouverte. J'aimerais que vous goûtiez aussi à ma soupe aux choux, un véritable délice, fit-elle en guise d'adieu.

— Je n'y manquerai pas et saluez bien votre distingué mari.

— Excusez-le. Il lui arrive de dépasser les limites, côté schnaps, chuchota-t-elle.

J'attendis que la porte fût fermée et dévalai les escaliers quatre à quatre.

J'avais sérieusement besoin de m'aérer les esprits et de faire le point sur tout ce qui m'arrivait. En mettant le pied sur le macadam, je dirigeai instinctivement un regard vers le deuxième étage de l'édifice en face. La vieille était toujours là, aussi inerte, aussi immobile, aussi passive.

— « Le jour de gloire est arrivé ! » entendis-je derrière moi.

Herr Graf était dans sa fenêtre et portait fièrement une lavallière qui lui donnait grande allure.

— « Ton front est ceint de fleurons glorieux », répliquai-je.

— *Wunderschön*, enchaîna-t-il, satisfait d'avoir eu sa petite conversation en français.

Je me proposai de lui apprendre quelques strophes de *Mon pays, c'est l'hiver*. Il commençait à me les casser avec sa *Marseillaise*.

— Au fait, *Herr* Graf, j'ai échappé une de mes chaussettes sur votre balcon.

— Ah ! c'était à vous, fit-il, penaud.

Il avait l'air tout à fait contrit. En quoi ma chaussette pouvait-elle l'attrister ?

Et la réponse vint :
— Mon chien l'a mangée.
— Quel matin, mais quel matin ! répétai-je en prenant la direction du boulevard Leopold et en espérant y trouver des gens sains et normaux.

* * * * *

Perdu dans mes pensées, je m'étais instinctivement retrouvé à la porte de l'Osteria Bavaria. Au café d'en face, des flâneurs, attablés autour d'énormes pichets de bière, discutaient sans doute politique, car je voyais l'un d'entre eux brandir le *Süddeutche Zeitung,* qui affichait à la une une photo de Franz Josef Strauss, président du Land de Bavière.

Strauss, dont la taille compacte et massive lui donnait des allures de bull-terrier et dont la passion pour la bière lui avait valu le surnom de Fass, c'est-à-dire de tonneau, avait été ministre dans le cabinet de coalition de Kurt Kiesinger et de Willy Brandt, dans les années soixante. Ce personnage, plus grand et surtout plus gros que nature, occupait une bonne partie des conversations du bon peuple munichois. Souvent contesté, il était néanmoins constamment réélu grâce à son populisme et, comme on disait fréquemment là-bas : «Comment peut-on ne pas voter pour quelqu'un qui fait tellement honneur à notre bière et à nos brasseries ?»

Je décidai donc de prendre place à une table un peu en retrait, mais qui me permettrait d'observer les allées et venues des clients de l'Osteria Bavaria, de l'autre côté de la rue.
— *Bitte schön, mein Herr?*
— *Mineral Wasser, bitte.*

Je me délectai de cette eau minérale qui m'aidait à éliminer les scories laissées par les cafés et schnaps de mes amis Dengler.

Mon attention fut attirée par les buveurs, dont la conversation devenait de plus en plus animée. Il était toujours question de Franz Josef Strauss et les quatre compères semblaient divisés en deux camps.

L'en-tête du menu m'indiqua que j'étais au café Extra-Blatt. Je me souvins que c'était là le lieu de rendez-vous de tout ce qui scribouillait dans les médias allemands ; voilà qui expliquait le débat de plus en plus virulent qui divisait les quatre hommes, sans doute des journalistes.

Je commandai une deuxième eau minérale et, après avoir rapidement détaillé le menu, un *Zwetschgendatschi* pour combler ma dent creuse.

Je réussis à faire abstraction des éclats de voix et des bruits de la rue pour me concentrer sur les images du magazine *Stern* — l'équivalent allemand du *Paris-Match* — qui affichait la photo de l'acteur Klaus-Maria Brandauer et de sa nouvelle flamme, une starlette du nom de Maria-Lisa Benvenutti.

— *Wie geht es ihnen ?* Comment allez-vous ? fit une voix à l'accent que je reconnus tout de suite.

C'était le plus jeune des garçons de table de l'Osteria Bavaria, celui à qui j'avais donné un si généreux pourboire.

— Vous permettez ? fit-il en s'assoyant sans attendre ma réponse.

— Comment donc ! répondis-je, réjoui. Si vous saviez comme je suis content de vous voir ! Puis-je vous offrir quelque chose à boire ?

— Comme vous, une eau minérale. Je suis de service dans quelques heures et, de toute façon, je ne bois de l'alcool que très rarement.

— Il y a longtemps que vous travaillez à l'Osteria Bavaria ?

— Non, seulement depuis six mois. Vous avez dû remarquer par mon accent que je n'étais pas bavarois.

— Pas vraiment, j'ai surtout remarqué que vous étiez différent des autres membres du personnel.

— Heureusement, ajouta-t-il sans élaborer et en me faisant un clin d'œil qui me mit tout de suite en confiance.

Comme un conspirateur, je jetai un regard à la ronde, m'assurai que personne ne pouvait nous entendre et risquai une première question.

— J'aurais une petite faveur à vous demander...

— Je sais, je sais, vous voulez savoir qui sont ces vieilles barbes qui se réunissent le premier lundi de chaque mois et viennent jurer leur fidélité à Adolf?

— Exactement.

Il vida la moitié de son verre et fit une pause, pendant que les quatre journalistes s'engueulaient de plus belle au point que je me demandai s'ils n'en viendraient pas aux coups.

— Vous êtes journaliste? s'inquiéta-t-il tout à coup.

— Bien sûr que non, mentis-je.

Je l'étais si peu de toute façon.

— Vous permettez que je fume?

— Si ça vous fait plaisir, hésitai-je.

Dans d'autres circonstances, je lui aurais gentiment avoué que j'étais allergique à la fumée, qu'elle m'irritait les yeux et la gorge, mais je ne voulais, sous aucun prétexte, rater l'occasion d'en apprendre un peu plus sur cette association de vieux singes.

À mon grand désespoir, il alluma une Roth-Händle, l'équivalent de l'infecte Caporal française, dont la fumée et l'odeur ont la faculté d'éliminer toute trace de moustiques à vingt kilomètres à la ronde. Je me mis tout de suite à tousser comme la Dame aux camélias crachant son dernier poumon au visage d'Armand Duval. J'étais rouge comme un coq de combat au moment de l'estocade.

— Je suis vraiment désolé, vous auriez dû me le dire, s'excusa-t-il en m'administrant une série de tapes dans le dos.

Ma quinte de toux eut pour effet d'interrompre toutes les discussions et de diriger les feux de la rampe vers mon humble personne, qui n'en demandait pas tant.

— Écrase, tabar... allais-je québéciser, mais je me retins à temps.

Il ne fallait pas antagoniser mon confident.

— Je suis impatient d'entendre votre histoire, haletai-je. De grâce, allez-y, je suis tout oreille.

— Je dois d'abord vous dire que je ne sais pas tout. Le maître d'hôtel me tient à distance lors de ces réunions, vous devinez pourquoi. Mais j'en ai assez vu pour satisfaire votre curiosité. C'est là une situation qui me dérange au plus haut point et, n'eût été la rareté des emplois dans les grands restaurants de Munich, je travaillerais ailleurs.

Il fut interrompu par un bruit de chaise projetée au sol par un des journalistes, rouge de colère, qui brandissait le journal avec la photo de Franz Josef Strauss et qui prit violemment congé de ses collègues en gueulant :

— *Strauss ist nur ein grosser fass voll heisse luft.* (Traduction libre : «Strauss est seulement un gros tonneau rempli d'air chaud.»)

— *Geh zum Teufel!* cria un autre. (Traduction libre : «Va donc chez le diable!»)

— Dieu du ciel! fis-je, où donc est passée cette courtoisie toute bavaroise? Mais je vous en prie, continuez.

— Avant d'aller plus loin, je dois vous dire que je suis originaire de cette partie de l'Italie, entre le col du Brenner et la ville de Roveretto, qui appartenait jadis à l'Autriche et qui fut rattachée à l'Italie en 1919 par le traité de Saint-Germain-en-Laye; ce qui fait de moi un Italien de langue allemande. Mon nom est Gustavo Haeckel.

— Enchanté, mon cher Gustavo. Je connais bien cette région pour avoir décrit des compétitions de ski alpin à Cortina d'Ampezzo et à Madonna di Campiglio.

— Tiens, tiens, comme le monde est petit. J'ai moi-même failli faire partie de l'équipe nationale de ski à l'époque de Thöni et Plank, mais une blessure m'a empêché de participer aux Jeux olympiques de Sapporo en 1972, précisa-t-il, assombri.

Je décidai de ne pas lui dire que j'y étais et que, justement, j'y avais commenté les épreuves de ski alpin en compagnie de mon bon ami Peter Duncan. J'avais, de toute façon, pour diverses raisons, gardé un souvenir mitigé de ces Jeux.

— J'ai donc dû me résigner à abandonner ma carrière de skieur et depuis je gagne ma vie comme garçon de table. Oh! remarquez que ce n'est pas si mal; ça m'a permis de faire le tour du monde. J'ai travaillé sur tous les continents et même au Canada, à Whistler en Colombie-Britannique. Je suis un aventurier dans l'âme, mais maintenant je dois m'assagir, car j'ai atteint la quarantaine et suis tombé amoureux d'une Munichoise qui m'a donné un enfant. Voilà, vous savez à peu près tout de moi.

Il vida son verre, les yeux pleins de nostalgie. Je décidai de le ramener au sujet qui m'intriguait.

— Vous me disiez donc que ces vieilles barbes se réunissaient le premier lundi de chaque mois et que, à part celui qui joue le rôle d'Hitler, ils ne sont toujours que quatre.

— Je me suis laissé dire qu'ils étaient une dizaine à l'origine, mais plusieurs sont morts ou trop malades pour se déplacer. Il ne reste que les quatre que vous avez vus, dont le leader semble être le plus grand qui, paraît-il, était Obersturmführer chez les S. S. C'est d'ailleurs lui qui aurait découvert ce Hitler de pacotille qu'on vénère comme s'il s'agissait du vrai.

— Est-ce qu'on sait qui il est?

— Aucune idée. D'ailleurs, je vous ai dit qu'on m'éloignait le plus possible de ces réunions. Je sais aussi qu'on ouvre le restaurant pour eux, certains dimanches, et que seul le maître d'hôtel, que je soupçonne d'être un des leurs, y assiste.

Je n'avais donc pas rêvé, ce fameux dimanche, quand les intempéries m'avaient forcé à m'arrêter à la porte du restaurant et que j'avais cru apercevoir des ombres et avoir entendu des *Heil Hitler!* J'avais toujours voulu jouer au détective, fasciné que j'étais par les histoires d'espionnage et les romans policiers. Mon enfance et mon adolescence avaient été bercées par les aventures d'Arsène Lupin, de Rouletabille, de Maigret, d'Hercule Poirot, de Sam Spade, de Mike Hammer et d'une foule d'autres héros incarnés au cinéma par les Humphrey Bogart, Erroll Flynn et Basil Rathbone, le parfait Sherlock Holmes.

Je m'acharnerais à découvrir qui était ce faux Adolf Hitler, il n'avait qu'à bien se tenir. Arsène, Sherlock, Hercule et les autres seraient fiers de moi.

— Vous dites donc qu'ils se réunissent aussi tous les dimanches?

— Je crois que oui, mais, en principe, dans le plus grand secret.

Sans doute Gustavo devina-t-il, à ma physionomie, ce qui mijotait dans mon ciboulot. Déjà je m'abandonnais à mes plus folles fantaisies.

— Bon, vous allez m'excuser, je dois reprendre mon service. Merci pour l'eau minérale, fit-il en traversant la rue.

— À bientôt. Vous allez sûrement me revoir.

Je me replongeai dans la lecture du *Stern* pendant que les trois journalistes, de plus en plus givrés, continuaient à discuter les mérites de celui qu'on appelait *«Der minister-präsident»*.

Valentina m'ayant prévenu qu'elle allait se livrer à une séance de magasinage avec nos deux filles, j'étais libre comme l'air et, comme il m'arrive souvent en pareilles circonstances, je choisis d'oublier tout ça et d'aller me perdre dans une salle de cinéma. À cinq minutes de marche de l'Extra-Blatt s'érigeait un cinéma de répertoire, le Isabella, qui affichait ce chef-d'œuvre de l'expressionisme allemand *Der letzte mann* avec Emil Jannings, celui-là même que Marlène Dietrich cocufiait sans vergogne dans *L'Ange bleu*. Sacré Emil, cocu dans un film et nettoyeur de bécosses dans un grand hôtel dans l'autre ; mais comme l'avait naguère affirmé ce grand acteur québécois Fred Ratté : « Il n'y a pas de petits rôles, il n'y a que de petits acteurs » ou quelque chose du genre.

Ayant une heure à perdre, je piquai un journal et décidai d'aller m'installer sous un arbre, à l'ombre de l'Alte Pinakothek, un des musées les plus importants d'Allemagne.

Je ne me lassais jamais de ces moments de lecture sur des bancs inconfortables pendant que de vieilles dames promenaient leurs chiens qui, sans gêne, vous merdouillaient presque sur le bout des orteils.

Le charme de Munich, à part la beauté de ses jardins et de son architecture, c'est pour un Québécois de se sentir vivre à une autre époque avec les salons de thé, les musiciens itinérants, les clochards-intellos, la multitude des musées, les *beergarten*, Schwabing, Marienplatz, la proximité des Alpes, la *gemutlichkeit* et le plaisir de flâner avec le nez au vent et les oreilles molles.

J'avais, lors de mon premier voyage en Europe, il y a de cela des lunes, visité l'Alte Pinakothek et, dans la fougue de mes vingt ans, j'avais surtout été impressionné par un imposant tableau guerrier d'Altdorfer, *La Bataille d'Alexandre*, et aussi par une importante collection de peintres médiévaux. Quelques décennies plus tard, il faut croire que mes goûts et ma conception de la peinture ont changé. Je suis loin d'être un connaisseur, mais j'avoue que les peintres médiévaux, quelle que soit l'école et quel que soit leur talent, non seulement me laissent froid, mais m'indisposent souverainement avec leurs christs transpercés de toutes parts, avec toutes ces victimes de la justice divine condamnées à l'éternelle damnation au milieu de serpents et de monstres de tout acabit. Que de sang ! Quelle déprime ! Beurk !

Peut-être me rappelaient-ils certaines images saintes de ma jeunesse dont les bons frères nous gratifiaient quand nous avions été sages et qui nous terrorisaient et nous faisaient faire les pires cauchemars.

Ce brave Emil n'a pas réussi à m'émouvoir, il y a quand même des limites au misérabilisme. De toute façon, j'ai à peine vu le film, perdu que j'étais dans mon nouveau rôle d'espion et préoccupé de trouver une stratégie qui m'aiderait à percer le mystère d'Adolf. Je me voyais déjà avec des verres fumés très opaques, partiellement cachés par un large chapeau rabattu jusqu'aux oreilles, et mon vieil imperméable délavé qui me donnerait l'allure de Humphrey Bogart dans *Le Faucon maltais* ou bien encore de Peter Falk en Colombo.

En passant devant la terrasse du restaurant Zum Pozner, je fus tiré de mes profondes pensées par une voix féminine très grave suivie d'une série de jappements :

— Comment va ce cher voisin qu'on voit malheureusement trop peu ?

Sans aucune hésitation, je reconnus la voix de notre voisine Brigitte Muster et les aboiements de son corniaud de chien, Jenny. Elle était seule devant un ballon de blanc de la Moselle et souriait aux anges. Elle souriait d'ailleurs toujours. Elle se servait de son sourire comme la Lorelei se servait de ses chants pour attirer les pauvres mâles pour ensuite, après usage, s'en débarrasser comme d'une vieille paire de bas-culotte. La légende veut qu'elle ait toujours été déçue par les hommes et que, après trois mariages ratés, elle ait pris la décision de se venger en les accumulant comme autant de trophées à la gloire de ses appâts et de sa féminité. Elle était, pour ainsi dire, l'équivalent du macho. Une macha, quoi.

Allais-je faire semblant de ne pas l'avoir entendue et passer mon chemin ou allais-je partager son ballon de blanc et supporter la présence de Jenny, ce clebs sans esprit et sans cervelle ?

« Sois simplement poli et agis en homme du monde », me suggéra mon conscient.

— Tiens, tiens, quelle surprise ! fis-je hypocritement.

Elle se croisa lentement les jambes, histoire de me montrer la couleur de sa petite culotte, et se pencha légèrement pour me faire admirer son décolleté en pointe et me laisser savoir qu'elle ne portait pas de soutien-gorge.

Le garçon de table qui passait par là faillit en échapper son plateau pendant qu'un client en face d'elle se penchait lui aussi pour ne rien rater de ce spectacle gratuit.

J'étais loin d'être impressionné, d'autant plus que la pimpante Brigitte se livrait régulièrement, sur son balcon, à des séances de bronzage dans le plus simple appareil, pour la plus grande joie de tous les voyeurs du voisinage.

— Et comment va la petite famille ? maternellisa-t-elle, ayant enfin réussi à se croiser les jambes et satisfaite de constater l'émoi qu'elle avait créé.

— Mais le mieux du monde, moliérai-je sans sourciller.

Comment une gynécologue, dont la profession consistait à observer des culs à longueur de journée, en arrivait-elle à vouloir constamment montrer le sien ?

C'était sans doute là un des secrets de cette obsession qu'est l'exhibitionnisme. Freud aurait sans doute pu, n'eût-il pas passé l'arme à gauche, décrypter la signification inconsciente de la conduite irréductible à la logique du conscient de cette brave Brigitte et conclure que son exhibitionnisme était un substitut symbolique de désirs refoulés sous la pression des exigences morales et professionnelles.

Mais n'étant pas Freud, Dieu merci ! je préférai croire qu'il s'agissait simplement d'un cas de nymphomanie aiguë.

Je constatai que toutes les tables voisines de la nôtre étaient maintenant occupées par des mâles voyeurs épiant les moindres froufrous des jupes de la gynéphomane ou, si vous préférez, de la nymphocologue. Je me passai aussi la réflexion qu'un couple formé d'une exhibitionniste et d'un voyeur, ou l'inverse, aurait d'excellentes chances de durer. Je ne crois pas que Freud se soit jamais prononcé là-dessus.

— Un verre pour monsieur, cria-t-elle au garçon, qui ne demandait pas mieux que de satisfaire tous les désirs de l'affriolante jeune dame.

Tous les mâles me zyeutaient avec envie comme si j'avais été le plus heureux des hommes de partager le ballon de ma voisine. J'étais surtout préoccupé par son maudit chien, dont les grognements n'auguraient rien de bon et préparaient quelque mauvais coup. J'en avais contre cette permissivité des restaurateurs allemands qui autorisaient la présence des chiens dans leurs établissements. Même dans les restaurants les plus huppés, il y avait sous presque chaque table un toutou qui voulait absolument partager votre festin ou mordiller vos godasses quand ce n'était pas faire pipi sur le revers de votre pantalon.

Mine de rien, l'œil neutre et le nez au vent, je bottai doucement Jenny au cul et déclenchai un concert de hurlements et de gémissements capables de réveiller tous les animaux du jardin zoologique de Hellabrun, situé à douze kilomètres plus loin. Même le propriétaire, *Herr* Hans Jürgen Peter Kotflügel, alerté par le tintamarre, vint mettre son grain de sel et son œil de voyeur, passant beaucoup plus de temps que nécessaire à s'apitoyer sur le sort de Jenny, dont il se foutait visiblement comme de sa première paire de pantoufles. Kotflügel, comme tous les mâles présents, était surtout très ému à la vue du sein gauche de la pétulante Brigitte, lequel sein, dans la commotion, avait quitté son nid et s'affichait seulement dans toute sa splendeur pendant que le droit attendait seulement que la belle gynécologue se penche un peu pour basculer lui aussi de façon définitive hors de son mince corsage.

Avec tous ces mâles à ses pieds, l'impétueuse dégrafée ne les déçut pas.

Voluptueusement, elle s'inclina le plus lentement possible pour les agacer et les émoustiller un peu plus et, dans un geste digne des plus grandes effeuilleuses, elle empoigna son affreux roquet pour le déposer délicatement sur ses genoux découverts. En même temps, dans une parfaite coordination, son nichon droit s'était dégagé et je fus frappé par ce tableau qui s'offrait à nos yeux. Avec tous ces satyres à ses pieds, on aurait cru voir *L'Enlèvement des filles de Leucippe*, le célèbre tableau de Rubens, une des pièces maîtresses de la Pinacothèque de Munich.

— Oh! excusez-moi, minauda-t-elle hypocritement, comme si elle venait de prendre conscience de sa demi-nudité.

Ce disant, elle recouvrit gracieusement sa poitrine et, comblée d'avoir tenu captifs tous ces mâles en rut, elle leur lança une constellation de sourires enjôleurs, autant d'hameçons auxquels allaient sûrement mordre quelques-uns de ces gaillards.

Comme par hasard, une vendeuse de fleurs itinérante passait par là et n'eut aucun mal à se débarrasser de toute sa cargaison de roses et de violettes, chacun prenant soin d'ajouter sa carte de visite personnelle à son petit bouquet.

Sacrée Brigitte! Au moins cinq nouveaux trophées à ajouter sur l'autel de son ego et de ses pulsions narcissiques.

— Nous disions donc? fit-elle à mon endroit comme si rien ne s'était passé.

— Je disais que la famille se portait très bien et Dieter, comment il va?

La mention du nom du dernier de ses trois maris sembla temporairement déposer une ombre dans ses brunes mirettes.

— Oh! Dieter, il est toujours à voile et à vapeur.

Herr Doktor Professor Dieter Lebertran, ingénieur aéronautique de profession et navigateur par passion, occupait le plus clair de son temps à écumer les sept mers et avait plus ou moins délaissé l'enseignement, qui lui avait valu successivement ses titres de professeur et de docteur. Ces titres sont extrêmement importants en Allemagne et vous situent à un niveau très au-dessus du commun des mortels; ce qui explique toutes les bassesses auxquelles se soumet l'homme germanique pour les obtenir.

Freud aurait évidemment noté que Brigitte, satisfaite de son aguichante performance, avait quitté son rôle de séductrice et était redevenue la femme sérieuse, celle qui passait pour une des meilleures gynécologues de la région. Elle avait même recouvert sa poitrine d'une jolie écharpe rayée de bleu et de rouge et sa jupette lui recouvrait presque entièrement les genoux. Jusqu'à Jenny qui s'était assoupie et se révélait à peu près supportable.

— Vous croyez aux fantômes? m'enquis-je à brûle-pourpoint.

Elle sembla surprise par ma question, s'envoya une généreuse lampée de blanc et hésita avant de me répondre sur le ton de la confidence:

— Pas vraiment, mais il y a des choses qui me laissent un peu perplexe, entre autres les bruits de meubles qu'on déménage en pleine nuit à l'étage du dessus et puis de drôles de sons venant de chez mes voisins Dengler. Au fait, quel couple étrange.

J'acquiesçai sans lui expliquer ma rencontre avec ces charmants et bizarres personnages. Par ailleurs, je voulus en savoir plus long sur ces meubles qu'on déménageait en pleine nuit dans l'appartement du dessus, qui était précisément celui qu'habitaient nos voisins immédiats, les Grigoleit; phénomène d'autant plus étonnant que ce charmant couple avait la réputation de se coucher en même temps que le soleil.

— Vous les entendez souvent, ces bruits de meubles qu'on déménage?

— À l'occasion seulement. J'en ai d'ailleurs parlé aux Grigoleit et ils ont semblé tout à fait surpris.

Je n'avais aucune peine à croire tout ce que les Grigoleit pouvaient affirmer. Ils faisaient partie de ce genre de personnes à qui on donnerait le bon Dieu sans confession.

— Et vous, comment expliquez-vous ce phénomène?

— Je ne l'explique pas. Je ne m'en fais tout simplement pas. De toute façon, il y a un bon moment que je n'ai rien entendu.

— Comme le temps passe en bonne compagnie, émis-je en constatant que l'horloge de l'édifice de la Deutschebank, de l'autre côté de la rue, indiquait dix-sept heures vingt-huit. Mes amitiés à Dieter... « et aux autres », ajoutai-je pour moi-même.

Elle me fit un signe de la main et se versa une autre bonne rasade de cet excellent vin de la Moselle.

J'étais maintenant convaincu que le destin me confiait une autre mission, celle de percer le mystère de ce maudit fantôme, ce Charlie de malheur qui troublait les nuits de ma chère belle-mère, de son chevalier servant Heinrich et peut-être aussi celles de Brigitte et sans doute bientôt les miennes. J'ajustai mes verres fumés, fis mine de rabattre sur mes yeux le feutre que je ne portais pas et retrouvai mes instincts de détective.

« Adolf et Charlie, je vais vous montrer de quel bois je me chauffe. »

Je dévalai lentement la rue Franz Josef, certain que mes femmes ne seraient pas revenues de leur séance de magasinage. Magasiner, pour elles, était l'affaire d'une journée complète à peser et à soupeser tout ce que les marchands, les boutiquiers et les antiquaires offraient de nouveau. Comme l'Allemagne est un pays d'abondance et que la ville de Munich, toute monastique soit-elle, est un peu la capitale de cette prospérité, je m'attendais toujours au pire et rarement étais-je déçu ; surtout que notre dollar canadien, cette devise absolument ridicule face au Deutsche Mark, ne pesait pas lourd dans les balances de la Bundesbank. Je me remémorais avec une douloureuse nostalgie cette époque où, en grimaçant, les préposés dans les banques et les bureaux de change me remettaient 4 DM pour chaque dollar affichant la bouille de notre bien-aimée souveraine. Il faut croire que, grâce à l'ineptie de notre politique et d'une multitude de nos politiciens, la pauvre Élisabeth avait perdu passablement de son lustre, puisqu'au moment où j'écris ces lignes, c'est tout juste si, sadiquement, les mêmes préposés nous glissent 1 vulgaire DM et quelques pfennigs pour notre malheureux dollar.

« Mais toi, t'as la chance d'avoir une belle-mère qui t'héberge, me hurla une voix intérieure, alors cesse de nous les casser. »

— Ben oui, ben oui, t'as encore raison, maudite fatigante, répliquai-je à haute voix.

Ce qui fit retourner un sympathique clochard qui m'offrit de partager le contenu de la bouteille qu'il avait à la main. Je refusai poliment.

— Que toute la fiente du ciel vous transperce le cerveau ainsi que ceux de tous les snobinards de la planète, me lança-t-il hargneusement.

J'aurais pu me montrer insulté, m'insurger, souffleter l'offenseur, mais je me retins pour deux excellentes raisons : d'abord à cause de la joie ressentie d'avoir pu rapidement traduire l'insulte de l'allemand au français, preuve d'une nette amélioration de ma connaissance de la langue de Goethe, et ensuite de peur de recevoir un coup de bouteille sur le crâne.

— *Prosit !* lui criai-je en m'éloignant et en faisant mine de brandir un verre imaginaire.

Il me baragouina une autre litanie d'insultes, mais, cette fois-ci, j'étais rendu trop loin pour les entendre.

Parvenu à destination, je grimpai les escaliers quatre à quatre, heureux pour une fois de ne pas avoir à me farcir les autres locataires, que j'aimais bien malgré tout. Une bonne odeur de détersif indiquait que madame jus de pomme avait procédé au nettoyage des escaliers, comme elle le faisait tous les deux jours sans y manquer.

Je tournai la clé dans la serrure et m'assurai que j'étais bien seul dans l'appartement. Moi qui refusais de croire aux fantômes, je ne voulais surtout pas qu'on me prenne en flagrant délit d'enquête sur ce phénomène.

À l'aide d'un escabeau, je me hissai à la hauteur de l'interphone au-dessus de la porte d'entrée, là où Heinrich avait aperçu Charlie. J'eus beau regarder dans tous les sens, passer la main dans tous les interstices et dans toutes les fentes, que dalle, pas âme qui vive.

— Montre-toi si t'es un homme ! hasardai-je, pas tout à fait rassuré.

Toujours rien.

Dans la petite pièce attenante à la cuisine, là où ma fille Julia avait entendu des bruits inquiétants, j'eus beau me coller l'oreille contre les quatre murs, je n'entendis que le bruit de l'eau qui coulait dans la douche de nos voisins Grigoleit. En jetant un coup d'œil à la fenêtre, j'aperçus, à l'étage du dessous, *Frau* Dengler en train de débarrasser la corde à linge des sous-vêtements de son homme.

Je refis lentement le corridor en sens inverse et, parvenu à la chambre de ma belle-mère, je fermai d'abord tous les rideaux pour essayer de reproduire l'atmosphère qu'elle nous avait décrite quand ce bon Charlie s'était manifesté en pleine nuit. Je m'allongeai sur le magnifique dessus de lit, œuvre d'une vieille cousine de Saint-Pétersbourg, et attendis quelques minutes, espérant ou n'espérant pas, je ne savais plus très bien, que le spectre se manifeste d'une façon ou d'une autre.

Je fixais le pied du lit où elle croyait l'avoir vu et je fermais les yeux de façon intermittente pour ne pas, à force de fixation, créer une fausse apparition.

Une trentaine de minutes s'étaient écoulées et je n'avais entendu que les bruits de la rue et le début de la leçon de piano de la jeune Élisabeth Hartung dans l'appartement du dessus.

— Montre-toi, espèce de froussard, si t'es un homme, répétai-je bravement.

« Mais que t'es con, grinça ma voix intérieure. Tu lances un défi à un homme, alors que t'as affaire à un fantôme. Veux-tu que je te dise ? J'ai l'impression que t'as peur. »

— Moi, peur ! m'exclamai-je. Tu vas voir ce que tu vas voir. Montre-toi, fantôme de pacotille, spectre manqué, Charlie de mes fesses !

À peine avais-je terminé ma phrase que j'entendis un grincement de porte et une voix que je crus d'outre-tombe lança :

— Mais qu'est-ce que tu fabriques sur le lit de maman ?

Un frisson me descendit de la nuque jusqu'aux orteils ; je crus, pendant un instant très court, que Charlie avait décidé de relever mon défi.

Valentina, flanquée de Julia et de Nina, m'observait avec surprise, l'air de penser que je me livrais à quelque chose d'infâme.

— Euh... euh... bredouillai-je.

Le fait est que je ne trouvais rien à répondre.

— À qui parlais-tu ? poussa-t-elle plus loin cette pénible interrogation.

— Euh... euh... re-bredouillai-je.

— Vas-y, accouche ! insista-t-elle.

— Eh bien, je dormais et je devais rêver.

— Mais pourquoi sur le lit de maman ?

— Parce que je m'y sens bien et qu'il est confortable. Voilà. Et puis, j'en ai marre de tes questions. Si on n'a pas le droit de s'étendre sur le lit de sa belle-mère, c'est la fin des haricots.

— Papa, papa, viens voir ce que nous avons acheté ! s'excita Nina, ma fille cadette, qui, à mon plus grand soulagement, venait de détourner instantanément le cours de la conversation.

Elle m'entraîna par la main dans sa chambre à coucher où s'entassaient une multitude de sacs multicolores du plus bel effet et dont les légendes portaient les noms des grands magasins.

— Nom de Dieu ! jurai-je, mais c'est Noël en juillet !

— Et ne t'en fais pas, ce n'est pas toi qui payes, crut bon d'ajouter ma conjointe, plus resplendissante que jamais dans une nouvelle robe et de nouveaux souliers d'une élégance et d'une finesse à rendre jalouse Imelda Marcos.

Pour un béotien en haute couture qui n'est heureux que dans ses survêtements et ses hardes et qui ne songerait pas à s'acheter lui-même un costume si on ne le lui imposait pas, je dois avouer mon ébahissement devant la splendeur et la magnificence de cet ensemble. J'en étais bouche bée.

— Elle était en vente, cinquante pour cent de rabais, ajouta-t-elle avec un plaisir non dissimulé.

Plaisir sans doute de croire qu'elle avait fait un bon coup, mais surtout plaisir de constater ma plus qu'enthousiaste réaction.

Puis, ce fut au tour de Julia et de Nina de me faire admirer leurs achats.

— Au fait, j'ai oublié de te dire, les Godbout arrivent demain, m'annonça ma bourgeoise.

— Les Godbout ! fis-je surpris. Mais personne ne m'avait prévenu.

— Eh ben voilà, tu l'es maintenant.

François Godbout, un ami de longue date, avait comme moi uni sa destinée à celle d'une Munichoise, Sybilla, une des meilleures copines de ma femme. J'avais connu François à l'époque où, jeune tennisman, il faisait partie, en compagnie de Robert Bédard, de l'équipe canadienne de la coupe Davis. Cette année-là, le Canada affrontait la plus forte équipe du monde, celle de l'Australie, dont Rod Laver, la tête d'affiche, est considéré encore aujourd'hui comme un des trois ou quatre plus grands de l'histoire : le seul, de toute façon, à avoir gagné deux fois le grand chelem.

Le tirage avait voulu que le jeune Godbout lui fût opposé. Les matchs étaient présentés au Club Mont-Royal de Westmount, rue Grey, devant une salle comble formée de connaisseurs qui ne s'attendaient pas à des miracles de la part de nos représentants.

René Lecavalier et Jean-Maurice Bailly commentaient cette rencontre pour la Société Radio-Canada. J'en étais moi-même à une de mes premières affectations d'importance à la télévision montréalaise avec, comme rôle, de présenter mes collègues et de faire les interviews avec les joueurs et les officiels. J'étais dans mes petits souliers, victime d'un trac fou, mais rien de comparable à celui qui affligeait mon futur ami quand il fit son entrée en compagnie du célèbre Laver sur le court principal.

L'Australien, aguerri et sûr de lui, salua la foule qui l'ovationnait debout pendant que Godbout, la jambe flageolante et le teint rosé, se faisait le plus petit possible pour cacher sa nervosité.

Laver, tout frais sorti de sa finale au célèbre tournoi de Wimbledon, se livrait à quelques exercices d'échauffement pendant que l'idole de Waterloo se débattait avec la fermeture éclair coincée dans le haut de son survêtement. À bout de patience et conscient d'avoir tous les yeux des spectateurs fixés sur lui, il s'emporta et, d'un geste brusque, déchira la malheureuse pièce de vêtement.

Est-il besoin d'ajouter qu'après une telle entrée en scène, son entraîneur, ses coéquipiers, les spectateurs et l'intéressé ne donnaient pas cher de sa peau. Quand l'arbitre, le futur juge Guy Guérin, cria : «Jouez ! *Play!*», François donnait l'impression de quelqu'un qui s'en allait directement à l'abattoir. À la surprise de tout le monde, il gagna son service et brisa celui de l'Australien, tant et si bien que, muni d'une nouvelle confiance, il remporta la première manche et réussissait ainsi l'exploit de sa jeune carrière, peu importe qu'il perdît les trois autres manches. Gagner un *set* contre le grand Rod Laver, il fallait le faire.

C'est un peu cela qu'il m'avait raconté en entrevue, immédiatement après le match, celui dont il se souvient encore aujourd'hui avec le plus de plaisir et le plus de fierté.

Et tout le reste n'est que littérature puisque je l'ai déjà raconté dans *À toi, Richard...* Analyste de tennis avec moi pendant une quinzaine d'années, membre du COJO (Comité organisateur des Jeux olympiques de Montréal), avocat au contentieux de la ville de Montréal et maintenant juge au tribunal de la Jeunesse, il avoue avoir quatre passions dans sa vie : sa femme Sybilla, le tennis, le maire Jean Drapeau et la musique, surtout celle de Franz Liszt, qu'il vénère et idolâtre.

Nous avions fait la promesse que, si un jour nous nous retrouvions en même temps en Bavière, nous irions nous recueillir sur la tombe de Liszt enterré dans le cimetière municipal de Bayreuth, ville célèbre pour son festival wagnérien. Or, le hasard faisant bien les choses, Valentina s'était liée d'amitié avec Winifried Arminjon, l'arrière-petite-fille de Richard Wagner et de Cosima Liszt, la fille du célèbre Franz. Winifried — Winnie pour les intimes — habitait Montréal et retournait tous les étés assister au célèbre festival organisé par son oncle Wolfgang Wagner. Elle nous avait fait la grâce de nous inviter à l'avant-première de *Parsifal*, qui devait être le clou de la saison d'été. Il s'agissait là pour nous d'une expérience absolument extraordinaire puisqu'il fallait souvent s'y prendre deux ou trois ans à l'avance pour obtenir des billets. Cet événement attirait des visiteurs du monde entier et, pendant toute sa durée, cette petite ville de moins de soixante-dix mille habitants connaissait une fébrilité absolument incroyable. Les plus grands chanteurs, les plus grands chefs d'orchestre, les plus savants musicologues et les wagnérophiles les plus endurcis s'y trouvaient réunis pour célébrer cette grande figure du romantisme allemand.

— Donc, les Godbout arrivent demain, répétai-je comme un automate.

— On ne peut rien te cacher. Au fait, comment s'est passée ta journée?

— Oh! la routine : lecture à une terrasse de café, cinéma et autre terrasse. Rien pour faire crouler les colonnes du Bayerisches Nationaltheater (maison de l'opéra).

Je me gardai bien de lui parler de ma nouvelle vocation de détective.

— Puisque tu mentionnes l'opéra, tu te souviens que c'est la fin de semaine prochaine que nous sommes invités à Bayreuth, ajouta-t-elle en se dirigeant allègrement vers la cuisine.

Ma femme, un véritable cordon-bleu quand ça lui tente, nous avait promis un repas typiquement russe composé de *Pel'meni* (boulettes de viande de porc et bœuf avec oignons), de blinis (crêpes avec beurre fondu, crème sûre, caviar, harengs et saumon fumé) et pour terminer en apothéose d'un Napoléon (gâteau à étages fourré de crème patissière), le tout arrosé d'un bon petit vin géorgien. Si vous réussissez à passer à travers ce riche festin, vous n'aurez aucun problème à faire carême les deux ou trois jours qui suivront.

Cette nuit-là, j'eus les pires cauchemars, où s'entremêlaient de fugitives images de fantômes, de swastikas, de boas constricteurs qui voulaient m'étouffer dans les anneaux de leurs queues préhensiles, des Dengler qui me servaient des dés d'arsenic et de ciguë tachetée et, ô horreur, de mon ami le chaste François Godbout séduit par la belle Kundry, fille du magicien Klingsor, mais sauvé *in extremis* par son épouse légitime Sybilla, qui s'était emparée de la lance magique de l'enchanteur. C'est sur cette image que je me réveillai en sursaut et pris la ferme décision de me mettre à un régime de salades et d'eau pour au moins au semaine.

Il n'était que six heures du matin. Incapable de retrouver le sommeil et ayant eu mon quota de cauchemars, je me dirigeai à pas de loup vers la cuisine, que nous avions laissée dans le plus abominable désordre quelques heures plus tôt, bien décidé à tout remettre en ordre pour remercier Valentina du festin de la veille. Quelle ne fut pas ma surprise de découvrir que tout était déjà fait et de façon impeccable. Pourtant, nous nous étions tous couchés à peu près en même temps. Qui donc avait pu se lever pendant la nuit et tout ranger sans que l'on s'en rendît compte ?

« Bah ! me dis-je, je dormais probablement trop dur pour entendre quoi que ce soit. »

Je décidai donc de retourner dans la salle de séjour chercher l'intéressante biographie de Richard Wagner que m'avait refilée ma femme « pour que tu n'aies pas l'air trop con quand tu arriveras à Bayreuth », comme elle me l'avait si justement dit.

En passant devant le grand miroir, au centre du long corridor, je fus surpris par un courant d'air froid qui me glaça sur place. Phénomène d'autant plus surprenant que nous vivions une période de canicule depuis la veille. Il faisait déjà trente-deux degrés et le jour venait à peine de se lever. Intrigué, je refis le chemin en sens inverse et, encore une fois, le miroir me joua le même tour, comme si quelqu'un soufflait de la glace dans ma direction. Il n'y avait pourtant, à cet endroit bien précis, aucune porte et aucune fenêtre, ce qui éliminait toute possibilité de courant d'air.

Je suis loin d'être un brave mais, au moins, je suis capable de faire face à la musique quand j'ai un adversaire devant moi. Devant l'inconnu, je deviens une véritable mauviette, un poltron grand cru, le pire des capons.

Malgré tout, je repassai une troisième fois en tentant d'éviter un blizzard, mais je m'accrochai dans le porte-parapluies, lequel croula dans un tintamarre qui réveilla Valentina et Kyra en sursaut.

— Mais qu'est-ce qui se passe? s'inquiéta ma femme en voyant mon teint pâle et mon air hagard.

— *Hat er getrunken?* A-t-il bu? fit ma belle-mère qui, visiblement, ne voulait pas me donner le bénéfice du doute.

— Passez lentement devant le miroir et vous verrez, répliquai-je, me demandant si je n'étais pas victime de mon imagination exacerbée.

Elles me regardèrent comme si j'étais atteint d'une grave maladie mentale, mais se soumirent quand même à l'exercice. Rien: pas la moindre petite bise.

— Et alors? me demandèrent-elles.

— Ben alors, voici...

Je leur racontai l'expérience que je venais de vivre.

Elles se regardèrent longuement et gravement sans faire de commentaires; elles étaient manifestement ébranlées.

Je défilai encore plusieurs fois devant la glace, mais plus rien ne se produisit. Tout était revenu à la normale.

— Au fait, qui a rangé la cuisine pendant la nuit? m'enquis-je, la voix un peu chevrotante.

— La cuisine rangée? firent-elles simultanément.

— Tu nous as fait une belle surprise, s'exclamèrent-elles, réjouies, après avoir procédé à l'inspection.

Ajoutant le geste à la parole, elles me firent la bise.

— Mesdames, je me dois d'être très honnête avec vous, je n'ai pas levé le petit doigt, mais l'intention était là.

— Impossible que ce soient Nina ou Julia, elles ont passé la nuit avec moi. J'aurais entendu quelque chose et, de toute façon, ce n'est pas leur habitude de faire la vaisselle.

Nous nous regardâmes tous, perplexes et songeurs. Le mystère s'épaississait.

— De deux choses l'une, conclus-je. Ou votre Charlie est quelqu'un qui nous veut du bien, ou encore tous les moyens lui sont bons pour nous effrayer et nous déranger. S'il veut continuer à faire la vaisselle, je lui crie bravo! et l'invite à se servir une grande rasade de cette vodka ouzbekistane que vous conservez précieusement dans votre congélateur, ajoutai-je à l'endroit de belle-maman.

— Je prépare le café, fit cette dernière.

— Très noir pour moi, répliquai-je.

Dans des moments de grande frousse, souvent l'être humain réagit avec bravade. Fort de la présence des deux femmes, j'allai me planter devant la glace et lançai à l'inconnu :

— Souffle si t'es un homme, minable !

Rien.

— Il ne t'a probablement pas compris. Essaie en allemand, me cria Valentina dans un éclat de rire qui en disait long sur ma démonstration de bravoure.

— *Blas wenn du Mumm hast, du schaebiger Lump !*

Toujours rien. Charlie avait sans doute décidé de calmer ses ardeurs et de prendre un repos bien mérité. J'essayais toujours de me persuader que tous ces phénomènes n'étaient que foutaises, mais j'étais de moins en moins convaincu. Je n'avais pas encore vu Charlie et le blizzard n'était probablement que le fruit de mon imagination, mais j'avais bel et bien été glacé à trois reprises par un vent froid en passant devant le miroir et personne ne pouvait expliquer comment le ménage de la cuisine s'était fait pendant la nuit.

Pour me changer les idées, je me plongeai dans mon gros bouquin et commençai à faire connaissance avec Richard Wagner.

* * * * *

Comme notre bon ami Heinrich avait embouti l'arrière de la voiture du cinéaste Werner Herzog, qui habitait un appartement à quelque huit cents mètres du nôtre, je dus me résoudre à louer une voiture pour notre voyage à Bayreuth.

« When in Rome, do as the romans do », avait naguère affirmé un célèbre agent de voyages britannique qui avait sans doute des liens de parenté avec Lord Byron. Forts de cet adage, nous décidâmes de faire comme une majorité d'Allemands et de louer une Mercedes 300 SE pour une durée de trois jours. Les Godbout et nous allions en partager le coût.

La semaine s'était écoulée rapidement sans que je pusse mettre à exécution mon projet de percer le mystère du faux Adolf Hitler et sans que Charlie se manifestât de nouveau. Nous avions presque réussi à l'oublier. Je dis « presque » parce que, chaque fois que je passais sous l'interphone ou devant le grand miroir, en lamentable pleutre, inconsciemmnent, je baissais la tête. Un mini-festival de films nous avait occupés tous les soirs de la semaine, semaine où l'on avait battu tous les records de chaleur : pas un seul nuage, pas un seul petit foehn pour nous soulager. Et cette humidité qui vous attaquait dès que vous mettiez les pieds sur le trottoir et vous laissait en nage en l'espace de quelques secondes ! Comble de malheur, le cinéma de répertoire où se tenait le festival datait de l'époque des frères Lumière et ne possédait pas de système de climatisation. Nous étions assis sur des banquettes en bois d'un inconfort total et qui, elles aussi, devaient dater de la fin du siècle précédent. Je n'ai jamais aussi peu apprécié les Pabst, Murnau, von Sternberg, Lang et autres fleurons du cinéma allemand.

Il n'était que cinq heures, ce vendredi matin, quand je pris la station de radio qui, toutes les cinq minutes environ, vous renseignait sur l'état des routes et sur les prévisions météorologiques. Première mauvaise nouvelle :

il faisait déjà vingt-huit degrés Celsius et on prévoyait que le mercure atteindrait le chiffre record de quarante degrés dans la plupart des régions de Bavière. Deuxième mauvaise nouvelle : déjà l'autoroute menant de Munich à Salzbourg était complètement bouchée sur une distance de cent dix kilomètres ; ce qui inciterait plusieurs vacanciers à changer leurs itinéraires, car, pour le Munichois, Salzbourg est la destination la plus populaire, donc la plus engorgée. Nous avions choisi, pour nous rendre à Bayreuth, un trajet un peu plus long qui nous permettrait de passer par Nürnberg (Nuremberg), une des plus belles cités médiévales d'Allemagne. Nous avions tous une raison particulière de nous arrêter dans cette ville forteresse.

Valentina souhaitait visiter la maison du peintre Albert Dürer ; Sybilla : La Belle Fontaine (Schönner Brunnen), une fontaine gothique située en plein cœur du marché principal. François, toujours féru d'histoire, tenterait de retrouver le décor des grands rassemblements du parti national-socialiste et moi, en parfait plouc, je désirais simplement déguster quelques Lebkuchen, ces petits pains d'épices, spécialité gastronomique de la région, accompagnés d'une bonne bière.

— T'oublie pas d'apporter la carte routière, me rappela Valentina.

— Je l'ai déjà étudiée à fond, la rassurai-je.

En principe, nous n'avions pas vraiment besoin d'une carte routière, mais Valentina aimait bien quitter les autobahn et les routes principales pour se retrouver dans les décors bucoliques et agrestes des charmants petits villages qui s'effilochaient tout au long du parcours.

Elle serait donc au volant et moi, dont le sens de l'orientation laissait nettement à désirer, je serais le pilote, le guide sans peur et sans reproche, le Bayard des grands chemins. De toute façon, je n'avais pas le choix. On ne me faisait plus confiance depuis ma prestation aux funérailles de Diadichev.

— Tu ne seras jamais un Villeneuve, me répétait constamment mon chaperon.

Nous cueillîmes les Godbout au Vierjahreszeiten, l'hôtel le plus chic de Munich, celui-là même où *Herr* Graf avait jadis fait office de maître d'hôtel.

— Maudite chaleur, j'ai pas dormi de la nuit, pesta François, très élégant dans ses *lederhosen* (culottes de cuir) et sa chemise brodée de motifs verts, typiquement bavaroise.

Il avait avec lui deux immenses bouquins traitant de l'histoire de la Bavière. Nous pouvions donc nous attendre à profiter d'une bonne leçon d'histoire tout au long du parcours.

Il faisait nuit lorsque nous arrivâmes à Bayreuth, complètement épuisés, après une journée passée à nous ressourcer à tout ce qui pouvait ajouter à notre culture, mais comme l'affirmait si justement Herriot : « La culture, c'est ce qui reste quand on a tout oublié. » Autrement dit, nous avions la tête pleine, mais n'avions pas encore eu le temps d'oublier. Il faudrait donc attendre d'avoir fait le vide avant de savoir si nous avions ajouté à notre culture. Une chose est certaine, je garderai un souvenir impérissable de ces petits pains d'épices qui auront certes ajouté à ma culture gastronomique. Alléluia !

« Quand les sonneries pieuses de l'angélus du matin » vinrent nous tirer des bras du fils d'Hypnos aux petites heures du jour, nous constatâmes avec bonheur que le soleil tapait ferme sur les hauteurs boisées du Fichtelgebirge et qu'une bise bienfaitrice nous avait débarrassés de cette maudite moiteur qui nous collait à la peau depuis plusieurs jours. Je cherchai un poème de Rilke qui pût exprimer mes états d'âme, mais n'en trouvai pas. Je servis donc à ma muse ce quatrain du grand Nérée Beauchemin :

« Ensemble nous irons encore
Cueillir dans les prés, au matin

De ces bouquets couleur d'aurore
Qui fleurent la rose et le thym »
— Laisse-moi dormir, veux-tu, grogna ma muse.

Cherchant un peu de compréhension, de sympathie et de café noir, je me pointai dans la cour arrière de la ravissante petite auberge que nous avions choisie pour son charme et ses coûts très abordables. J'y trouvai un François fébrile, plongé dans une biographie de Liszt — il les avait toutes lues — et prêt à entreprendre ce pèlerinage qu'il avait préparé de longue date.

— C'est un grand jour pour moi. Tu te rends compte, il a vécu à deux pas d'ici. Peut-être même a-t-il foulé ce gazon que nous piétinons, s'extasia-t-il dans un presque sanglot.

— *Bitte schön*, fit le garçon que nous n'avions pas vu venir et qui devait bien avoir atteint un âge centenaire, si je m'en remets à son visage parcheminé et un tantinet grisâtre.

J'avais remarqué, à la droite de la porte d'entrée, une plaque commémorative indiquant que l'auberge Kornbühl avait été inaugurée le 12 juillet 1880 en présence du *Burgmeister* et d'un descendant de la princesse Wilhelmine, celle-là même qui avait marqué, au XVIIIe siècle, la période la plus brillante de l'histoire de la ville.

— Dites-nous, monsieur, s'enquit François, le grand Franz Liszt aurait-il déjà fréquenté votre charmante auberge ?

— Et comment donc ! fit le vieillard d'une voix chevrotante et émue. Dans les dernières années de sa vie, Liszt venait presque tous les jours, à l'heure du thé, boire sa tisane à la menthe et déguster notre fameux gâteau aux oranges. Et là même où vous êtes assis, ajouta-t-il sur le ton de la confidence, en fixant mon ami qui tomba presque en transe.

— Liszt ici, peut-être même sur cette chaise, c'est pas vrai, c'est pas vrai... bredouilla François.

— Mais si, je vous assure. Mon brave père me racontait d'ailleurs qu'il était souvent accompagné de sa fille Cosima et de Richard Wagner.

Cette révélation eut pour effet de nous plonger dans une profonde rêverie, comme si le temps s'était arrêté, comme si, tout à coup, tout ce beau monde allait nous apparaître.

Le vieux Kornbühl, heureux de nous avoir impressionnés, vint troubler notre respectueux silence en ajoutant :

— Je les aurais moi-même connus si j'avais eu la chance de naître quinze ans plus tôt.

Un calcul rapide me fit arriver à la conclusion que notre garçon de table, qui était aussi le patron, devait avoir tout près de quatre-vingt-dix ans.

— Vous me combleriez de joie si vous pouviez me servir une tisane à la menthe et un gâteau aux oranges, chuchota le futur juge Godbout, dont l'émotion était à fleur de peau.

— Pas de problème pour la tisane, mais nous ne servons le gâteau qu'à l'heure du thé. À moins qu'il ne nous en reste d'hier, je vais demander à ma femme. Il risque toutefois d'être un peu sec.

Quelques minutes plus tard, une vieille dame plus ridée que l'écorce d'un chêne druidique trottinait jusqu'à nous en portant dans ses frêles mains un plateau qui menaçait de basculer à tout instant.

Nous n'osions pas l'aider de peur de la froisser, mais elle arriva à bon port et, avec un sourire d'une immense tendresse, elle nous chuchota :

— Vous avez de la chance, il nous en restait deux petites tranches.

— Comment vous remercier, chère madame, vous nous voyez au comble du bonheur et de l'émotion, se pâma François.

Et là-dessus, il faillit se casser une dent en mordant vivement dans une grosse tranche de ce gâteau qui devait dater au moins de la fin du siècle tellement il était sec et dur.

— Et alors, comment le trouvez-vous? chevrota la vieille dame.

— Un véritable délice, mentit mon excellent ami, prêt à se défaire toute la mâchoire pour célébrer son héros.

— Vous savez, c'est une recette secrète que je tiens de mon beau-père et qui a établi la réputation de notre maison, murmura-t-elle.

Je fis mine de mordre dans ce bloc de ciment pour ne pas lui déplaire, mais elle était déjà en route vers sa cuisine. Le thé à la menthe ne goûtait pas du tout la menthe, mais plutôt le pissenlit.

Après m'être assuré que personne ne me voyait, je lançai mon gâteau au-dessus du muret, en espérant n'assommer personne. François, lui, tenait à garder le sien en souvenir. Il le plaça délicatement dans une petite serviette de papier et l'enfouit dans la poche de sa vareuse: une relique qu'il conserve encore aujourd'hui et ne dévoile fièrement qu'à ses meilleurs amis.

À dix heures précises, nous entreprenions notre pèlerinage en compagnie de nos deux femmes, qui avaient revêtu de légères tenues bavaroises, lesquelles leur seyaient d'ailleurs fort bien. François, par respect, avait délaissé ses *lederhosen* et portait un complet sombre de circonstance avec cravate noire et chemise blanche.

— On s'en va quand même pas à des funérailles. Tu pourrais porter quelque chose de plus léger, fit Sybilla.

François ne l'entendit même pas. Sa tête était déjà pleine des cantates, sonates, oratorios, psaumes et poèmes symphoniques de son idole.

Sans s'en rendre compte, il fredonnait un passage des *Années de pèlerinage*: une pastorale qu'il affectionnait particulièrement.

Le cimetière municipal n'étant qu'à deux kilomètres de notre auberge, nous avions choisi de faire le trajet à pied.

Après avoir dévalé les rues Cosima Wagner et Richard Wagner, nous bifurquâmes dans la rue Maximilian pour enfin parvenir au Stadt Friedhof, non sans que le plus grand admirateur de Liszt ne se fût arrêté dans une petite boutique de fleurs, d'où il ressortit avec deux petits bouquets.

— Voilà, c'est pour toi, fit-il à Sybilla en lui remettant de très jolies pâquerettes des champs.

— Et l'autre bouquet, c'est pour qui? s'insurgea-t-elle.

— C'est pour Liszt.

— Mais il est plus beau que le mien!

— Pas du tout. J'ai payé beaucoup plus cher pour le tien. Serais-tu jalouse du grand Franz Liszt, par hasard?

— Quel joli petit cimetière! s'exclama Valentina pour changer le cours de la conversation. Quelle sérénité! Quel calme!

Il nous sembla que toutes les allées menaient à la tombe de Liszt, que nous trouvâmes sans peine.

François, incapable de maîtriser son émotion, les yeux embués, extirpa de sa poche un minuscule baladeur et se laissa envelopper par les échos des fameux *Préludes*. Il n'était plus avec nous. Il laissa tomber délicatement son bouquet de violettes sur la dalle de marbre rouge bordée de myosotis; puis, il s'agenouilla et se recueillit pendant un très long moment.

Dans un silence que rompaient à peine les oiseaux, nous nous étions tous laissé prendre par la solennité du moment. J'enviais mon ami d'avoir cette fantastique faculté de s'émerveiller à une époque où la mode était à l'indifférence et au scepticisme. Il était un digne disciple de l'auteur français Ernest Renan, qui avait si justement écrit: «Les gens qui se disent blasés n'ont jamais rien éprouvé: la sensibilité ne s'use pas.»

Pas question de déranger François à un des moments les plus importants de sa vie. Nous étions d'ailleurs tous très émus.

Il s'écoula une bonne trentaine de minutes avant qu'il ne retire son baladeur et se retourne vers nous, les yeux pleins de larmes.

— Excusez-moi, bredouilla-t-il, la voix chevrotante, mais vous comprenez, j'espère.

Nous comprenions.

Un dernier regard sur la dalle de marbre rouge et, lentement et en silence, nous fîmes le trajet en sens inverse.

— Tu pourrais faire sauter ta veste, conseillai-je à François. Y doit faire au moins trente degrés.

Il ne m'entendit pas. Il était toujours en pleine béatitude, en pleine exaltation, dans une transe heureuse puisqu'il souriait aux anges maintenant.

C'est à peine s'il s'était aperçu que nous étions parvenus à la deuxième étape de notre pèlerinage : le Neues Schloss, le Château Neuf qui datait de 1753. Tout près s'élevait la maison Wahnfried où Richard Wagner avait vécu les dernières années de sa vie. Il était enterré dans le jardin attenant, en compagnie de Cosima. Courte période de recueillement, mais cette fois-ci pas de fleurs.

La première chose que l'avocat au contentieux de la ville de Montréal remarqua en pénétrant à l'intérieur de la maison Wahnfried fut le grand piano à queue qui décorait le salon de musique.

— Vous vous rendez compte, se ré-extasia-t-il : Liszt et Wagner ont passé de longues heures assis sur ce banc.

Sa main glissa doucement sur la surface du banc que la patine du temps avait légèrement usé ; ensuite, François s'y assit. Il se fit craquer les doigts, se souffla langoureusement dans les mains et entreprit de jouer la *Sonate en si mineur*. Était-ce l'état de grâce ? Il n'avait jamais commis aussi peu de fausses notes. Cela lui valut une ovation de la part des cinq visiteurs alors présents dans la maison Wahnfried. Il devait connaître une deuxième heure de gloire en tant que pianiste, quelques années plus tard, en passant à l'émission *Star d'un soir* animée par Pierre Lalonde.

Fort de son succès et au pinacle de l'émotion, il embrassa sur le front le gardien qui lui avait permis de toucher les notes qu'avaient chatouillées, un siècle plus tôt, Richard Wagner, Franz Liszt et sans doute aussi Cosima.

À noter que pendant toute cette visite, il n'avait presque pas parlé et nous avions respecté son silence. Enfoui dans son monde intérieur, «il avait sombré dans l'abîme du Rêve». Comme un automate, il parcourut toute la longueur du jardin jusqu'au Mémorial Richard Wagner, dans l'orangerie du château. Plus je l'observais, plus je trouvais qu'il ressemblait à son idole, dont une immense photo ornait le mur de son salon à Montréal : même structure du visage, même appendice nasal, même lèvre inférieure charnue.

— Tu sais que si tu te laissais pousser les cheveux, tu ressemblerais beaucoup à Liszt, fis-je en lui tapant vigoureusement l'épaule pour le ramener au XXe siècle.

Il sortit lentement de sa bienheureuse torpeur et ébaucha un large sourire.

— Tu es sérieux quand tu dis ça ?

— On ne peut plus sérieux. Vous êtes d'accord, mesdames ?

— Tout à fait, répondirent-elles spontanément.

Elles n'allaient sûrement pas me contredire à un moment pareil.

— Je ne t'en veux même plus d'avoir acheté un plus beau bouquet à Liszt, s'exclama Sybilla, en lui baisant la lèvre identique à celle du grand Franz.

— J'ai faim. Je connais un petit café tout près d'ici et je suis certaine que Liszt s'y est déjà arrêté, fit Valentina en me lançant un clin d'œil complice.

— Je vis le plus beau jour de ma vie ! criducœura François, attablé devant un énorme strudel couvert de crème fouettée.

— Et le jour de notre mariage, qu'est-ce que tu en fais ?
s'insurgea sa moitié.

— Pardon. Je vis le deuxième plus beau jour de ma vie,
re-criducœura-t-il.

« Ô Temps ! suspends ton vol ; et vous, heures propices !
Suspendez votre cours :
Laissez-moi savourer les rapides délices
Du plus beau de mes jours ! » Lamartina-t-il.

François avait des lettres ; il lui arrivait souvent de
réciter des extraits de la centaine de poèmes appris par
cœur tout au long de son cours classique, sauf que, cette
fois-ci, il l'avait inconsciemment fait à tue-tête.

Cela lui valut une ovation de la part de tous les
dîneurs du café Saueregurke : sa deuxième de la journée.

— Je ne veux pas vous presser, mes amis, mais il
faudrait songer à rentrer. La représentation commence
dans moins de deux heures, fit Valentina.

À seize heures exactement, nous étions dans les
magnifiques jardins qui bordent le Festspielhaus, cette
maison de l'opéra construite selon les plans de Wagner
lui-même et inaugurée en 1876 avec l'*Anneau du
Niebelung.* Il avait conçu le bâtiment pour concentrer tout
l'intérêt sur l'action dramatique, et l'acoustique, dit-on,
est étudiée jusque dans la matière des sièges et la densité
des spectateurs prévus. La perfection, quoi !

Allais-je pouvoir en juger, moi qui n'étais pas précisément un grand amateur d'opéra et qui étais un parfait
cancre pour ce qui concernait Richard Wagner ?

Heureusement, son arrière-petite-fille nous accueillit
chaleureusement et, avec sa grâce habituelle, me fit un
rapide historique de la création de *Parsifal.*

Comme il s'agissait d'une avant-première, Winnie
nous prévint que les entractes seraient assez longs pour
permettre au metteur en scène et au chef d'orchestre
américain James Levine de donner leurs directives aux
chanteurs et aux musiciens. Elle nous fit aussi savoir que

les ténors wagnériens se faisaient de plus en plus rares et que Peter Hoffman, qui chanterait le rôle-titre, était aussi connu dans toute l'Allemagne comme chanteur de rock : une révélation qui me troubla, moi qui en étais à mes derniers moments comme amateur de ce genre de musique.

Une sonnerie invita tous les spectateurs à bien vouloir entrer dans la grande salle où le bois dominait. Grâce à Winifried, nous profitions de places de choix dans la quatrième rangée et en plein centre. Jetant un rapide coup d'œil autour de moi, je me demandai si je méritais d'être là en voyant tous ces connaisseurs dont plusieurs, *libretto* à la main et la mine sérieuse, se préparaient à vivre une grande expérience. Plusieurs amateurs, les jours suivants, auront fait de nombreuses démarches et investi une grande partie de leurs économies pour assister à un tel spectacle.

— Réalises-tu notre chance ? chuchotai-je à Valentina. Nous sommes invités dans l'un des plus prestigieux opéras du monde et par l'arrière-petite-fille du compositeur en plus.

— J'en connais plusieurs qui donneraient un de leurs membres pour vivre ce genre d'aventure, se contenta-t-elle de répondre.

Je n'eus pas le temps de lui demander à quel membre elle pensait, puisque le rideau se levait sur le premier acte de *Parsifal*, créé ici même en 1882.

Mon voisin de droite, un monsieur très digne avec une longue crinière blanche, se mit à sangloter en apercevant l'extraordinaire décor. Pour lui, il s'agissait sans doute de la réalisation d'un grand rêve. Il tenait à la main tout le texte de l'opéra qu'il devait, de toute façon, connaître par cœur. Je sentis tout de suite que j'allais vivre quelque chose de très spécial. Dès les premiers accords, il se mit à fredonner les différents airs sans tenir compte des sh... sh... sh... lancés par sa voisine immédiate, une femme très élégamment vêtue qui se fit elle-même signifier de se la boucler.

J'observais tout cela avec beaucoup de plaisir et, loin de m'offenser, je souris à l'homme, qui me glissa dans l'oreille : « Excusez-moi, je me laisse emporter. » Il cessa de fredonner et se mit à battre la mesure avec presque autant de justesse que le chef d'orchestre.

Jamais je n'avais entendu un son aussi parfait. Je dois toutefois avouer que mes longues jambes et le manque de rembourrage de mon arrière-train me donnaient bien des soucis. Les bancs faits de bois n'étaient distancés que d'environ quarante centimètres de ceux qui les précédaient ; je devais donc empiéter sur le territoire de ma voisine de gauche qui, heureusement, était ma femme. Elle se montra d'une grande générosité.

Le décor, la musique, les voix, l'atmosphère : tout était extraordinaire, même pour un ignorant comme bibi, mais il me faut admettre, avec beaucoup de honte, que j'accueillis le premier entracte avec une joie non dissimulée.

J'allai m'installer au pied d'un immense hêtre sans doute millénaire pendant que la plupart des spectateurs faisaient la queue aux différents bars éparpillés dans les magnifiques jardins qui bordaient le Festspielhaus.

Je savourais ma solitude lorsque je me sentis taper doucement sur l'épaule. C'était mon voisin, l'homme à la crinière blanche. Il tenait un calepin sur lequel il avait pris des tas de notes.

— Vous êtes critique ? lui demandai-je en français.

— Dieu m'en garde ! me répondit-il dans ma langue, mais avec un fort accent étranger. Je suis simplement un inconditionnel de Richard Wagner. Je possède sur disque tous ses opéras et en plusieurs versions. Mais dites-moi, cher monsieur, qu'avez-vous pensé de l'interprétation de Peter Hoffman ?

J'avais intérieurement prié le ciel qu'il ne me pose pas de question.

Mon souhait n'était pas exaucé. J'en étais au stade du « euh... euh... » quand il m'assomma de cette phrase :

— N'avez-vous pas trouvé une certaine distanciation dans l'intégralité de son interprétation comparativement à celle d'un Lauritz Melchior, par exemple?

— Euh... euh... refis-je, conscient de passer pour le dernier des crétins.

Mais tout de suite, il enchaîna :

— De toute façon, nous n'allons pas chercher des poux à un si magnifique spectacle.

Avec une joie infinie, je me rendis compte que le bonhomme était du genre à ne pas écouter ou à n'écouter que lui-même. J'allais donc pouvoir m'en tirer avec des euh... euh...

— Je me demande jusqu'à quel point on doit accorder à Wolfram d'Eschenbach la paternité de la légende du Graal. Chrétien de Troyes y est quand même pour beaucoup, émit l'insatiable.

— En effet... hésitai-je, mais, cette fois-ci, pour mon plus grand malheur, il ne m'interrompit pas.

Je devais donc, au plus coupant, trouver quelque chose d'intelligent à dire. Je fis mine de me plonger en pleine introspection et fus sauvé *in extremis* par la sonnerie qui nous rappelait pour le deuxième acte.

« Pfiou! » fis-je intérieurement.

Finalement, le preux et chaste Parsifal finit par s'emparer de la lance du magicien Klingsor et triomphe de ses ennemis. Grâce à cette lance enchantée, il guérit la blessure du pauvre Amfortas qui, jusque-là, s'était baladé sur l'immense scène en se tenant la poitrine à deux mains pour empêcher le sang de gicler. Possédant tous les pouvoirs, le brave chevalier reconquiert le Saint-Graal; le bien triomphe du mal et tout le monde est content.

— Magnifique! Magnifique! sanglotait mon voisin, debout comme d'ailleurs tous les autres spectateurs qui ne cessaient de bisser les chanteurs et les musiciens. Un triomphe! J'avais des doutes sur la performance de Hoffman, mais il se révèle l'un des plus grands ténors wagnériens. Son aventure dans le monde du rock ne l'a heureusement pas trop marqué, poursuivit ce volubile voisin qui, je l'appris plus tard, était un éminent musicologue tchèque qui avait fait une thèse de doctorat sur Wagner.

— Euh... euh... balbutiai-je.

Je regrettai de ne pas avoir vécu cette expérience en compagnie de mes amis Godbout qui, faute de billets, étaient retournés à la maison Wahnfried où François, en plein nirvana, poursuivait son rêve.

La grosse horloge gothique, dans la tour de l'hôtel de ville, indiquait vingt-deux heures trente. Nous avions donc passé six heures très précisément, longs entractes inclus, sur les terrains du Festspielhaus : six heures dont je me souviendrai toute ma vie. Je me sentais un peu moins ignorant.

À la sortie, je butai contre mon voisin musicologue :

— Au plaisir de vous revoir, me fit-il aimablement.

— Euh... euh... bredouillai-je.

À bien y penser, il a dû me prendre pour le dernier des minus.

La soirée se termina chez des amis dont la fille était la filleule de Valentina. Au gré des libations, la conversation porta d'abord sur les mérites et les vertus de Liszt, de Wagner, de Wolfram d'Eschenbach et *tutti quanti*, pour se terminer, tard dans la nuit, sur les mérites et les vertus de la bière allemande, la plus pure et la plus affinée selon nos hôtes.

— Euh... euh... acquiesçai-je.

* * * * *

François parti en Italie participer à un tournoi de tennis pour vétérans, je me retrouvais de nouveau seul avec mes quatre femmes et un fantôme qui continuait à faire des siennes. Je m'efforçais de croire à un phénomène de psychose collective puisque, la nuit précédente encore, tout le monde avait entendu les meubles se déplacer dans le long corridor. Pourtant, moi qui l'avais longé deux fois pour me rendre à la cuisine, je n'avais rien vu ni rien entendu.

— Tu devrais voir un oto-rhino, me suggéra Valentina. Je suis certaine que tu as de sérieux problèmes d'ouïe.

— Tu as vu quelque chose, toi?

— Non, mais j'ai entendu.

— Entendu quoi?

— Comme quelqu'un qui lançait les chaises et les commodes les unes contre les autres dans le couloir.

— Pourtant, rien n'a bougé. Tout était en place comme d'habitude, ce matin.

— Écoute, je ne peux rien prouver et je ne dirais rien si j'étais la seule à avoir entendu tout ce tintamarre, mais maman et Julia ont entendu la même chose.

— Psychose! Psychose! bravai-je, pas du tout sûr de moi depuis l'épisode glacial du miroir.

— Va te faire cuire un œuf! conclut ma bergère. De toute façon, tu ne crois en rien. Je souhaite que Charlie t'apparaisse en plein cœur de la nuit et te donne la frousse de ta vie.

— Peuh! répliquai-je avec emphase, me demandant si mon palpitant résisterait à une telle apparition.

«Dans le fond, tu confirmes que t'es un maudit lâche», me souffla ma voix intérieure.

«Ne te mêle pas de ça», répliquai-je, révolté.

Malgré toutes mes réticences, j'avais pris la ferme décision d'affronter ce fantôme de malheur. J'attendrais un moment propice, une nuit où je serais seul dans l'appartement. Cette simple idée me donnait des frissons, mais j'en avais sérieusement marre de me faire traiter de lâche par mon conscient, mon subconscient et toutes mes voix intérieures. S'il fallait prendre les grands moyens, je les prendrais. Bravement en plus. Après avoir vidé une bouteille de vodka.

Pour l'instant, j'avais un autre chat à fouetter, celui de ce Adolf Hitler d'opérette que mes puissants instincts de limier m'incitaient à prendre en filature pour, éventuellement, mettre à jour un vaste complot de nostalgo-nazis prêts à tout, imaginais-je, pour faire sauter le monde. Je divaguais évidemment.

Je téléphonai donc à mon nouvel ami Gustavo Haeckel pour qu'il me renseigne sur la date de leur prochain rendez-vous.

— Ils viennent tout juste d'arriver, me chuchota-t-il. Il doit sûrement y avoir quelque chose de très spécial. Comme je vous l'ai déjà dit, ils ne se réunissent habituellement qu'un seul lundi par mois. Oups! je dois vous quitter, le patron m'appelle.

J'étais sur les dents. En vitesse, j'enfilai mon vieil imperméable, me laissai glisser le long de la rampe de l'escalier au grand étonnement de la mère Saft, qui se faisait aller énergiquement la vadrouille pendant que *Herr* Graf s'apprêtait à m'asséner un énième « Le jour de gloire... »; je n'eus pas le temps de répliquer.

Du coin de l'œil, j'aperçus dans sa fenêtre la vieille toujours aussi inerte, toujours aussi morte, enfin presque. Tout était normal, pas grand-chose ne changeait au royaume du bon gros Franz Josef Strauss.

Douze minutes, trente secondes et six dixièmes plus tard, je franchissais le portail de l'Osteria Bavaria, accueilli par le vieux maître d'hôtel qui se fit un plaisir de m'annoncer que non seulement il n'y avait pas une seule table de libre, mais qu'il me faudrait patienter au moins une heure, espérant par là me décourager.

Qu'à cela ne tienne, j'attendrais. Qu'on vienne simplement me prévenir; je serais en face au café Extra-Blatt.

Gustavo, qui sortait des cuisines avec un énorme plateau à la main, me lança un clin d'œil complice ayant l'air de me dire : « T'inquiète pas, bonhomme, je m'en occupe. »

Je pris place à la même table en retrait qui me permettait d'observer le va-et-vient de nos voisins d'en face et commandai une eau minérale.

— Puis-je suggérer à monsieur de s'installer à l'intérieur, car si vous regardez bien au-dessus de vous, vous constaterez que les écluses du ciel vont s'ouvrir dans quelques instants.

— Pas question, fis-je avec une autorité qui m'étonna moi-même.

— Bien, comme monsieur désire.

Trente secondes plus tard, une de ces pluies torrentielles se mit à tomber, suivie immédiatement d'éclairs déchirant le ciel et de tonitruants coups de tonnerre. En moins de temps qu'il ne faut pour crier : « *Götterdämmerung* », les rues de Munich se vidaient comme par enchantement, laissant place à une nuée de gouttelettes rebondissant brutalement sur le pavé.

Soudainement, sans crier gare, l'outre d'Éole s'ouvrit et des bourrasques capables de faire déborder l'Isar et de renverser le château de Nymphenburg faisaient virevolter, tous azimuts, tout ce qui n'avait pas la consistance d'au moins une Audi 5000. Un spectacle en même temps magnifique et terrifiant, avec des relents d'Apocalypse et de tragédie wagnérienne.

Un gros homme, chauve comme une bille, fut projeté contre un lampadaire auquel il resta accroché comme à une bouée de sauvetage.

— Monsieur veut toujours boire son eau minérale sur la terrasse ? fit le garçon, railleur.

Une telle insolence ne méritait certes pas de réponse, mais plutôt un soufflet que je n'osai pas lui appliquer, car le garçon, certainement aussi le videur, possédait le gabarit de Vassili Alexeev, gagnant de la médaille d'or en haltérophilie chez les super-lourds aux Jeux olympiques de Montréal.

« Toujours la trouille », me glissa une de mes voix intérieures.

«Mêle-toi de tes oignons, répliquai-je. Mieux vaut passer pour un lâche que de se retrouver aux soins intensifs. »

Je m'installai près de la fenêtre pour admirer le décor et remarquai que les quelques clients présents m'observaient curieusement ; c'est que j'étais plus trempé que Noé à son arrivée au mont Ararat : une véritable lavette.

— Si je peux me permettre, monsieur...

Le serveur mastodonte, dont le soudain altruisme me désarçonna, m'offrait une longue serviette de bain.

— Ça vous aidera à éponger le plus gros, fit-il.

«Et à camoufler ton ridicule », me chuchota une autre de mes voix intérieures.

Lorsque je sortis des W.-C., une demi-heure plus tard, moins trempé et à peu près convenable, l'orage s'était tu. Les brusques changements de temps et de température étaient monnaie courante dans ce coin du monde, et cela aussi faisait partie du charme de la capitale bavaroise. Malheureusement, cette fois-ci, la violence du court orage avait, appris-je plus tard, déraciné des arbres qui s'étaient abattus sur des maisons et sur des automobiles. Les magnifiques jardins anglais, jonchés de débris de toutes sortes, offraient l'image de la désolation. Des grêlons, gros comme des balles de tennis, avaient sérieusement amoché des toits d'automobiles.

Je m'empressai de téléphoner à la maison, espérant qu'on aurait réussi à s'en tirer sans dégâts.

— Ça va, ça va. La corde à linge avec toutes tes chemises a été emportée par le vent. Pour le reste, tout va bien. Mais veux-tu me dire où tu es et ce que tu fabriques ? Nous étions mortes d'inquiétude.

— Je suis en mission et je ne peux malheureusement pas te donner de détails, mais soyez rassurées : je suis sain et sauf. Je ne sais pas exactement à quelle heure je vais rentrer. Probablement à l'heure du dîner.

— Tu n'oublies pas que nous mangeons avec les Bryth et les Scotti, ce soir.

— Comment pourrais-je l'oublier ? C'est moi qui invite. Ma Visa va en prendre pour son rhume.

— Ne sois pas mesquin, je paierai la moitié.

Ma chère épouse, quand elle voulait me faire passer pour le dernier des radins, m'offrait toujours de payer la moitié. Elle obtenait alors l'effet désiré : celui de me fermer la trappe.

— Mais, si tu veux bien, choisissons autre chose que l'Osteria Bavaria. Peut-être cette taverne grecque, tiens ?

Je connaissais son faible pour ce bistro appartenant à un de ses voisins et amis d'enfance. Non seulement les prix y étaient-ils abordables, mais en plus le patron, Pélopidas Papadiamandis, nous offrait toujours les apéritifs gracieusement et surtout gratuitement.

Je sentis une hésitation. Il me fallait renchérir.

— Et souviens-toi de son ouzo, le meilleur en ville, sans mentionner sa pieuvre au beurre à l'ail.

Cela acheva de la convaincre.

Je m'abstins de mentionner les taux de cholestérol.

— J'appelle Pélopidas et je réserve pour vingt heures, fit cette amoureuse de l'ouzo, de la pieuvre et de la Grèce en général. En attendant, sois prudent.

J'aimais bien cette taverne grecque avec ses immenses tables de chêne où nous devions jouer du coude avec nos voisins pour réussir à manger et à boire. Tout y était tellement sympathique et bon enfant que même un sauvage comme moi, un peu agoraphobe et réfractaire à la fumée et aux matières grasses, prenait plaisir à frayer avec ces Hellènes dont la joie de vivre avait un effet d'entraînement auquel il était difficile de résister. Les soirées ou les nuits se terminaient toujours en chansons et en danses aux accords de la musique de Theodorakis et de folklore du cru.

Après la seule visite que j'y avais déjà effectuée, j'avais dû sillonner les rues environnantes pendant presque deux heures pour essayer de digérer les nombreuses libations et les vestiges du beurre à l'ail dégoulinant sur les monceaux de poulpe qu'on nous avait servis à satiété.

Le lendemain matin, pour expier, je courus presque la distance d'un marathon, de Kurfürstenstrasse jusqu'à Dachau : environ trente kilomètres. Je grimpai jusqu'au château des Wittelsbach qui surplombe cette ville charmante, mais chargée d'horreurs grâce aux bons soins de l'infâme Heinrich Himmler, qui y a fait ouvrir le premier camp de concentration en Allemagne en 1933.

De la longue terrasse-restaurant du château, le coup d'œil sur le Dachauer Moos était spectaculaire. La luminosité toute spéciale éclairant cette plaine humide attirait des peintres du monde entier.

La bouffe de la veille et les trente kilomètres de course m'avaient asséché la gorge comme si on l'avait passée au papier de verre.

Les quelques lève-tôt, visiblement des habitués, penchés au-dessus de leur café, m'observaient comme si je venais d'atterrir de la planète Uranus. Il faut dire que, dégoulinant de sueur et l'écume aux lèvres, je n'étais pas très ragoûtant. Le garçon me le laissa d'ailleurs savoir en me toisant dédaigneusement des pieds à la tête.

Je commandai un pichet de jus de pomme.

Mes endomorphines s'étant généreusement déployées, je vivais l'état de grâce des coureurs de fond : aucune inhibition, sensation de bien-être et surtout une irrépressible propension à l'hilarité. Tout me semblait d'une incroyable drôlerie, y inclus le serveur et les clients. Ils se demandaient sans doute qui était cet hurluberlu en maillot Adidas, en short Nike et en pompes Asic, qui parlait tout seul et souriait au ciel.

Le sourire se changea en rictus lorsque vint le moment de régler l'addition. Encore une fois, j'avais oublié mon argent et, honteusement, je dus subir les regards méprisants du serveur qui me somma de payer, sinon il appelait la police. Le comble : je fus forcé de lui quêter vingt pfennigs pour téléphoner à Valentina et la prier de venir me sortir de ce mauvais pas. En gage, je remis à mon tortionnaire ma seule possession : ma montre-chrono.

Une quarantaine de minutes plus tard, ma digne épouse arrivait, la larme à l'oeil tellement elle s'était bidonnée.

— T'as l'air fin, hein ! J'aurais dû te laisser poireauter et voir comment tu t'en serais tiré, se moqua-t-elle, prise d'une autre quinte de rires.

Je ne la trouvais pas drôle du tout, d'autant plus que, comble d'humiliation, le garçon éclata de rire en me remettant ma montre.

Je me consolai en me disant que, au moins, je n'aurais pas à me taper trente autres kilomètres à pied pour retourner à la maison. Je fus tiré de ces tristes souvenirs par Gustavo qui, de l'autre côté de la rue, me faisait signe de m'amener.

— Ça va, il y a une table tout près du salon privé, me fit-il avec un clin d'œil.

Gustavo était sûrement le roi du clin d'œil.

Le vieux Hermann m'accueillit froidement. Je lui rendis la pareille. Je n'allais pas me laisser impressionner par ce vénérable larbin.

« Trêve d'humiliation », me dis-je.

« Y est pas trop tôt », clama une voix intérieure.

N'ayant pas très faim, je commandai une double salade mixte et une eau minérale, au risque de passer pour un affreux pingre.

— Tout de suite, me fit Gustavo d'un air entendu.

Je ne sais pas très bien ce qu'il s'imaginait, mais j'eus tout à coup l'impression qu'il était entré dans le jeu et avait lui aussi des tendances à jouer les Clouseau.

En m'apportant mon eau minérale, il me glissa un bout de papier que je m'empressai d'enfouir dans la poche de ma chemise.

Je balayai la salle du regard et, certain de n'être pas observé, j'extirpai prudemment le papier de ma poche et lus :

« Ils ne sont que trois. Le petit chauve n'est pas là. »

Je songeai, pendant un court instant, à avaler le compromettant billet, mais mon conscient me ramena à une moins tragique réalité.

« Es-tu en train de capoter ? T'as vu trop de films ; reviens un peu sur terre. Tu vas quand même pas pousser le ridicule jusqu'à te créer des problèmes gastriques en avalant un vieux bout de papier sale. »

Cette voix, d'où qu'elle vînt, avait parfaitement raison. Il me fallait maîtriser mes tendances à la Walter Mitty, ce tendre rêveur qui avait la faculté d'entrer dans la peau des personnages qui le faisaient fantasmer.

— Monsieur désire l'addition ? murmura Gustavo.

— Mais je n'ai pas encore eu ma salade, répliquai-je, un peu surpris.

— Nos amis ont demandé la leur et se préparent à partir, chuchota-t-il.

Au moment où la porte du salon privé s'ouvrait, Haeckel s'amenait avec mon addition : 5 DM qui ne grèveraient heureusement pas mon modeste budget. Quand même cher pour un verre d'eau !

Mine de rien, je jetai nonchalamment un billet de dix sur la table et attendis que tout ce beau monde soit à l'extérieur : un processus assez long pour ces vieillards aux jambes ralenties par les affres de l'âge.

Le faux Adolf, beaucoup plus jeune, sortit en trombe, le visage caché par son large chapeau. Il me fallait ne pas le perdre de vue ; j'avais enfin ma chance. Je quittai le restaurant à toute vitesse, sans même prendre le temps de saluer mon ami Gustavo.

J'aperçus l'homme au moment où il s'engageait dans la rue Arci et décidai de le suivre à bonne distance.

Soudainement, il ralentit le pas, jeta un long coup d'œil à la ronde, comme pour s'assurer qu'il n'était pas suivi, puis il s'engouffra dans une cour d'école déserte et alla s'abriter derrière un gros chêne. Je trouvai un endroit stratégique, derrière un autre chêne, d'où je pouvais l'observer sans qu'il me voie.

Après s'être assis au pied de l'arbre, il sortit un petit miroir de la poche de son manteau et, d'un geste rapide, il se fit sauter la moustache; elle était postiche. Il la déposa délicatement dans un sac de plastique.

Je n'étais pas au bout de mes surprises.

Adolf porta ensuite la main à sa tête et, un à un, il détacha les boutons-pression qui retenaient une moumoute parfaitement calquée sur la chevelure du vrai Hitler. Il n'avait pas un poil sur le caillou. Il la déposa aussi dans le sac de plastique.

C'était du véritable guignol.

— Tu vois bien que le ridicule a la vie dure, me fis-je à haute voix.

Je me retins pour ne pas éclater de rire en voyant ce pitre qui, mis à nu, ne ressemblait pas plus à Adolf Hitler que moi à Rudolf Hess. De fait, il ne ressemblait à rien du tout. Plus neutre que ça, tu meurs.

Ma curiosité me poussa quand même à poursuivre mon enquête; je voulais absolument savoir quel genre de personnage pouvait se prêter à un jeu aussi morbide, sans doute pour quelques marks.

Que d'authentiques anciens nazis poussent la nostalgie jusqu'à un tel grotesque dépassait mon entendement. Il y avait dans cette aventure quelque chose de tragique et de risible en même temps et je me disais que, à mon retour au Québec, personne ne me croirait quand je leur raconterais cette abracadabrante histoire. J'avais moi-même peine à la croire.

Tout à coup, le terrain fut envahi par une armée d'enfants, sans doute en camp d'été, qui se précipitèrent sur les balançoires et les glissoires qui agrémentaient la cour de l'école.

Le petit homme se leva, comme mû par un ressort, et s'empressa de quitter les lieux, son sac à la main. Je lui emboîtai le pas, toujours à bonne distance. Il s'arrêta devant un des deux musées de la magnifique Königsplatz et sembla s'intéresser au va-et-vient de la foule de touristes qui descendaient, en grappes, d'autocars venant de tous les coins d'Europe. À ma grande surprise, je le vis commencer à distribuer à tous ces gens ce qui me sembla être un carton de la dimension d'une carte de visite. Une vieille dame, rouge d'indignation et après avoir pris à témoin quelques compagnes, se mit à enguirlander le faux Adolf comme s'il avait voulu la violer.

Je m'approchai suffisamment rapidement pour entendre ces respectables personnes crier des : « Schweinhund ! » « chien de cochon ! » à l'endroit du faux führer, qui prit ses jambes à son cou avant de recevoir le coup de parapluie dont le menaçait une de ces dames.

« Serait-il en train d'essayer de les inviter à se convertir au nazisme ? » me demandai-je.

Je ramassai un des cartons projetés au sol par une des touristes vertes de rage et lus : « Peep-show. Arnulfstr. 37. Non Stop 24 Stunden. PrivatKabinen ».

Je n'en revenais pas. Décidément, ce larbin avait plusieurs cordes à son arc : en plus de jouer le rôle d'Hitler, il faisait la publicité d'une boîte de sexe.

« Et quoi d'autre ? » m'interrogeai-je en concluant qu'il ne fallait pas être particulièrement brillant pour inviter des dames de l'âge d'or dans une maison de débauche.

Le temps que je lise le carton, Adolf avait disparu à l'autre bout de la Königsplatz (place Royale), dans la rue Luisen. J'eus beau chercher et chercher, il s'était évanoui dans le paysage.

— Merde ! râlai-je.

« Un bon détective ne quitte jamais sa proie des yeux. Tu te prenais pour Maigret ou Poirot, mais tu n'es, n'as été et ne seras toujours qu'un pitoyable Clouseau, se moquèrent trois ou quatre de mes voix intérieures. Non, vraiment, tu es ridicule!»

— Je vais vous prouver le contraire, pauvres minables, gueulai-je assez fort pour faire lever une famille de pigeons qui se prélassaient sur l'herbe fraîche.

Je détestais les pigeons, ces fauteurs de troubles toujours prêts à chiper la nourriture d'oiseaux plus petits qu'eux ou à se délester de leur pâteuse et malodorante fiente sur nos têtes, pauvres humains. Arnulfstr. 37, avais-je lu sur le petit carton. Il ne fallait pas avoir la tête à Bismarck pour deviner que je retrouverais ce triste individu à l'adresse susmentionnée. J'étais à moins d'un kilomètre de cette rue qui longe la Haupt-Banhof. Neuf minutes, trente-six secondes et sept dixièmes plus tard, je parvenais à ce foyer du stupre et de la luxure.

Avant d'y faire une glorieuse entrée, je choisis d'inspecter les alentours et d'observer le va-et-vient de la distinguée clientèle, uniquement mâle.

Quelques belles-de-jour, fières amazones à jupettes rase-culs et à talons aiguilles, faisaient les cent pas autour de ces lupanars affichant leurs néons multicolores et leurs affriolantes promesses. Quel contraste avec les bulbes coiffant les deux tours symétriques de la Frauenkirche (église Notre-Dame) qui se profilaient au loin et veillaient, depuis plus de cinq siècles, sur la ville des moines.

— *Hallo, mein Süsser. Wie wär's mit einem Stündchen Vergnügen?* susurra une voix fluette à mon oreille gauche.

Surpris, je me retournai brusquement pour voir qui m'offrait aussi spontanément quelques moments de jouissance illicites.

— *Nur 10 DM für einen Trip nach Eden,* renchérit-elle en me chatouillant le menton.

Me souvenant du triste sort réservé à Adam et Ève dans ce fatal jardin, je déclinai poliment l'invitation et priai cette Aphrodite des trottoirs de bien vouloir respecter mon intimité.

«Non, mais a-t-on idée de déranger un fin limier dans l'exercice de ses nobles fonctions?» se moqua une de mes voix intérieures.

— *Verdufte! Weiche hode*, gueula-t-elle en s'éloignant.

«Comment? Tu te laisses traiter de couille molle sans répliquer, espèce de lâche?» fit la même maudite voix.

Je la regardai s'éloigner et prendre en chasse un monsieur d'allure noble et dont je crus reconnaître la longue chevelure ébouriffée. Elle lui glissa quelque chose à l'oreille, puis éclata de rire en le tirant par une manche de chemise. Il se mit à rire à son tour et tout de suite je reconnus les sons tonitruants et ronflants émis par cette grande vedette de la télévision munichoise : mon voisin d'en haut, *Herr* Siegfried Hartung, rendu célèbre non pas par les rôles secondaires qu'il avait tenus modestement au cinéma et à la télévision, mais surtout par deux messages publicitaires qui passaient de façon répétée à la télévision allemande. Dans le premier, déguisé en polichinelle, il vantait les mérites de la bière Hackerbraü. Dans le second, vêtu d'un étrange ciré blanc le recouvrant de la tête aux pieds, il célébrait la résistance et l'étanchéité des condoms «Wilhelm Meister», nom donné sans doute en hommage au héros de Goethe.

Ce brave Siegfried, époux légitime de la non moins brave Elsa, cette fumeuse et tousseuse vedette d'opérette, suivit donc la pulpeuse tapineuse jusqu'à un hôtel de passe, à deux pas du 37, rue Arnulf.

«Tiens... tiens... me fis-je, comme si je venais de déchiffrer une quelconque énigme. Sacré Hartung! Au moins, il ne doit pas être à court de "Wilhelm Meister".»

«Tu vas quand même rester discret, j'espère», chuchota une de mes voix.

«Motus et bouche cousue, telle est ma devise, la rassurai-je. La discrétion est la marque de commerce de tout bon détective.»

«Ouais!» se contenta de répliquer l'impertinente.

J'hésitai avant de m'aventurer à l'intérieur du « Pussycat » — c'était le nom affiché au-dessus de l'entrée de ce foyer de luxure —, mais je n'allais pas abandonner à un moment aussi critique de mon enquête, quitte, croyais-je, à me faire montrer du doigt par quelques bonnes âmes.

J'empoignai donc mon courage à deux mains et à deux jambes et, avec une belle audace, je franchis le seuil de la porte du Mal.

« Ah ! si mon vieux professeur d'apologétique et de morale au petit Séminaire de Québec me voyait ! » ne pus-je m'empêcher de penser.

Pour la première fois de ma vie, je mettais les pieds dans une boîte où régnaient en maîtres le « Dieu seul me voit » et « La veuve cinq doigts » : le royaume de l'onanisme pour voyeurs et refoulés sexuels de la société.

— *5 DM für eine private Kabine mit porno filmen oder 10 DM für eine Live Shou aber ohne Berührung,* fit une voix un peu éteinte et étonnamment haut perchée.

On aurait cru entendre un haute-contre.

Je levai la tête et me trouvai face à face avec Adolf Hitler, ce clown qui acceptait de se déguiser pour faire plaisir à quelques vieux nostalgiques un peu fous afin d'arrondir ses fins de mois.

Je l'observais sans mot dire, me demandant de quelle façon l'aborder pour lui poser les quelques questions qui me brûlaient les lèvres.

Je choisis de me taire, de peur de l'effaroucher, et décidai d'attendre qu'il termine son travail pour ensuite le suivre jusqu'à son domicile. Il me faudrait toutefois être prudent, puisque maintenant il m'avait vu la bouille. Rapidement, une stratégie s'échafaudait dans mon encéphale en pleine éruption.

— *Dann...* Alors... insista le petit homme. *5 DM oder 10 DM ?*

— *Danke schön,* finis-je par dire. *Nicht heute. Ich habe etwas vergessen.*

Je prétextais avoir oublié quelque chose.

Il me regarda curieusement et dut me prendre pour une espèce d'illuminé, victime d'un sérieux problème de conscience entre le Bien et le Mal.

— *Ein anderes Mal vielleicht,* haute-contra-t-il en me regardant m'éloigner.

— C'est ça... une autre fois, me surpris-je à lui répondre en français.

En sortant, je faillis buter contre un obèse personnage ivre de désirs et de sueurs qui venait assouvir ses passions de voyeur. Je fus choqué de me voir tout à coup associé, ne serait-ce qu'un instant, à cet Humpty Dumpty et aux autres voyeurs de son acabit.

« C'est peut-être tout ce qu'ils ont et tout ce qu'ils peuvent se permettre, philosophai-je. Tant pis pour eux. »

Ce qui ne m'empêchait pas de me sentir fort mal à l'aise dans cet entourage : probablement de vieux relents de mon éducation toute thomiste d'avant la révolution tranquille.

Il y avait de l'autre côté de la rue un abri de tramway où je pourrais attendre ma proie tout en m'instruisant sur les mœurs sexuelles des Munichois et des touristes. Comme l'attente risquait d'être longue, j'allai me procurer la dernière édition du *Stern* et du *Herald Tribune International*, derrière lequel je pourrais me cacher si besoin était et qui me permettrait aussi de savoir quel temps il faisait au Québec et où en étaient nos valeureux Expos dans leur course au championnat. Pas facile de s'extirper complètement de ses racines.

Il faisait vingt-huit degrés Celsius à Montréal, sous un ciel nuageux et avec des orages possibles pour le lendemain, lus-je avec émotion.

Dans la page réservée aux sports, j'appris que les Expos avaient remporté une brillante victoire contre les Mets de New York et se retrouvaient à seulement seize matchs de la tête. Je me sentis soudainement très près de chez moi et fus envahi par un sentiment de nostalgie qui m'entraîna au-delà de l'Océan, dans une séance d'introspection qui me fit revivre à peu près tous les faits saillants de ma vie, glorieux ou pas.

J'en étais à la finale du 10 000 mètres aux Jeux olympiques de Montréal au moment où le Finlandais Lasse Viren franchissait la ligne d'arrivée quand je fus brutalement tiré de mes souvenirs par la sortie du faux Hitler, qui hésita un court instant avant de se diriger vers Marienplatz. Je le suivis à bonne distance, prenant bien soin de ne pas me laisser voir. Il ne semblait pas pressé et s'arrêtait constamment pour faire du lèche-vitrine devant les boutiques les moins huppées.

Parvenu à la rue Neuheuser, à mi-chemin entre la gare et l'hôtel de ville, il entra chez un marchand de bric-à-brac et j'en profitai pour m'approcher prudemment. Me cachant le visage à moitié derrière mon *Herald Tribune,* je le vis discuter avec un personnage plus maigre qu'un olivier en hiver et sortir de ses poches une série de cartes, sans doute des photos cochonnes, qu'il lui remit en échange de quelques pièces de monnaie.

Le brocanteur les passa une à une entre ses doigts secs et fit un signe de tête approbateur.

La transaction terminée, Adolf se frotta les mains et, d'un pas plus alerte, reprit son chemin le long de Neuheuser pour finalement s'arrêter face au Rathaus, que plusieurs, en blague, appellent la maison des rats, mais qui, en réalité, était l'hôtel de ville, le plus beau du monde avec son immense carillon (glockenspiel) célèbre pour ses figures de cuivre recouvertes d'émail coloré.

Une multitude de touristes de tous les coins du monde admiraient les lignes gothiques de l'édifice et le mitraillaient sans vergogne de leurs appareils photos. Le petit homme profitait de leur émerveillement pour distribuer ses petites cartes les invitant à visiter le Pussycat. Plusieurs s'empressaient de les jeter sur le pavé et d'autres les enfouissaient dans leurs poches. « Bonne clientèle en perspective », semblait se dire notre homme.

Finalement, satisfait de sa journée de travail, il quitta l'animation de la place la plus célèbre de Munich pour entrer dans une petite rue qui nous ramenait dans le quartier de Stacchus, c'est-à-dire tout près de la gare.

Je me tenais à une dizaine de mètres, essayant toujours de me cacher derrière des passants, mais ce n'était pas facile avec mon mètre quatre-vingt-quinze. À plusieurs reprises, il se retourna et je dus me réfugier dans une embrasure de porte, comme le faisaient les grands détectives ou les grands espions dans les films qui avaient bercé mon adolescence.

« Hi... hi... fit une de mes voix intérieures. Quel bouffon tu fais ! »

Je ne pris même pas la peine de réagir, surtout que mon homme venait de s'immobiliser devant une conciergerie d'apparence misérable et avait entrepris une conversation avec un pauvre hère qui flânait devant l'édifice en buvant goulûment à même une canette de bière.

Je ne pouvais pas entendre ce qu'ils racontaient, mais je supposai que ce devait être très drôle puisqu'ils se mirent tout à coup à rire aux éclats.

Caché derrière mon journal, je vis Adolf entrer à l'intérieur de la bâtisse après avoir serré la main de l'autre qui, tranquillement, poursuivit son chemin.

Je courus jusqu'à la porte, à temps pour voir Adolf retirer la clé de sa boîte aux lettres et enfouir une enveloppe dans la poche de son pantalon. Il y avait une inscription sur la boîte aux lettres.

Mon cœur battait à tout rompre ; j'allais enfin pouvoir compléter mon enquête et rejoindre mes idoles Maigret, Poirot, Lupin, Holmes et autres Rouletabille...

« N'oublie pas Clouseau », fit une voix intérieure.

« Jalouse », lui rétorquai-je.

J'attendis que le petit homme gagne son appartement et je m'approchai de la boîte aux lettres.

Sur le petit carton était inscrit : « Abraham Mickiewicz » *Zweiter stock* (2e étage).

* * * * *

Heureux d'avoir démantelé — du moins dans ma tête — un vaste complot nazi, j'invitai nos amis les Scotti et les Bryth à célébrer mes succès de fin limier à la chic Taberna Giorgios, au cœur du quartier grec de Munich, si on peut ainsi appeler les deux restaurants, la buanderie et l'épicerie qui le composent.

Ce fut une soirée mémorable où l'ouzo coula à grands flots dans une atmosphère chaleureuse et joyeuse. Notre ami Friedl Bryth, ce compagnon légèrement puritain et qui n'entamait jamais un repas sans réciter un quelconque bénédicité, surprit tout le monde en enfilant une quantité industrielle d'ouzo, nectar grec à base d'anis. Après s'être livré à un vibrant et endiablé sirtaki digne du grand Zorba, applaudi à tout rompre par la distinguée clientèle, il se mit en tête de nous faire la leçon sur notre façon d'élever nos deux filles.

— Je ne peux pas concevoir que vous les laissiez voguer sur l'océan de la vie sans leur fournir l'embarcation qui les mènera à bon port *(sic)*.

Nous ne comprîmes pas tout de suite très bien là où il voulait nous mener avec sa formule ampoulée, mais nous avions appris, au cours des ans, à ne pas nous surprendre de ses soudaines poussées mystiques.

— Ce que je veux dire, c'est qu'il m'est très difficile de concevoir que vous n'ayez pas fait baptiser vos deux filles.

Voilà qui était clair.

— Chacun a sa façon de voir les choses et je pense qu'il s'agit là d'une question très personnelle, répliquai-je banalement en me demandant ce qui incitait notre bon ami à se livrer à de telles considérations métaphysiques dans une atmosphère et dans un décor aussi païens.

— Il a peut-être raison, fit Valentina en avalant une énorme tranche d'aile de requin.

— Ça va donner quoi ? interrogeai-je sous l'œil désapprobateur de Friedl.

— Ça va donner qu'elles auront le choix si jamais elles sentent l'appel de l'au-delà, me répondit Val avec beaucoup d'à-propos.

Il fallait me rendre à cette logique, mais il y avait un os. Valentina avait été élevée dans les religions orthodoxe et protestante et moi dans la religion catholique.

— On leur donne quoi comme religion ? m'inquiétai-je.

— C'est simple, tirez à pile ou face, suggéra notre amie Anna Scotti, dont les origines italiennes en avaient fait une catholique non pratiquante.

— À la santé de Friedl qui, magnanimement et bénévolement, veut sauver nos filles des feux de l'enfer ou tout au moins du mortel ennui des limbes, fis-je en levant mon verre.

Personne ne se fit prier et, pour des raisons que j'ignore, le patron et les clients crurent que j'offrais une tournée générale. Qu'à cela ne tienne : mes deux filles venaient de passer de la vallée de Hinnom au royaume des catéchumènes et ça, ça se fête.

Il fut unanimement décidé d'inscrire sur trois bouts de papier : orthodoxe, protestant et catholique et de procéder au tirage.

Le moment était solennel. Tout le monde s'était tu dans la taverne, même les plus givrés, qui avaient déposé leurs verres devant eux en signe de respect. Il y avait quelque chose d'un peu païen, d'un peu blasphématoire dans cette cérémonie et, une fois de plus, je vis mon vieux professeur de morale me tancer d'un regard réprobateur.

« Mais c'est pour une bonne cause, père Drouin », lui dis-je en propulsant mon regard vers le ciel comme s'il allait tout à coup m'apparaître, une quarantaine d'années après que j'eus quitté les bancs pleins d'échardes du petit Séminaire de Québec.

« Plaise au ciel, pour le salut de ton âme, que la religion catholique l'emporte », répondit une voix sépulcrale qui venait directement d'outre-tombe, à n'en point douter.

— Tu as entendu quelque chose ? chuchotai-je à ma douce.

— Entendu quoi ? me fit-elle, surprise.

— Comme une voix très grave, un peu caverneuse venant de... venant de je ne sais trop où.

— Vas-y mollo dans l'ouzo, rima-t-elle sans le vouloir.

Je décidai de passer outre... tombe et, fier de ce subtil jeu de mots, je me souris intérieurement. De toute façon, on n'en était plus à un fantôme près.

On plaça donc les trois bouts de papier dans une tasse agitée vigoureusement par le patron, et l'ami Friedl, à l'origine de ce cérémonial, se vit confier la lourde tâche de piger le billet qui déciderait de l'avenir de nos deux filles.

Il plongea sa main tremblotante dans la tasse et en sortit le ticket gagnant.

Nous étions tous suspendus à ses lèvres et à son regard, qui s'illumina tout à coup. Il fit un rapide trois cent soixante degrés et annonça solennellement :

— CATHOLIQUE !

« Tout de même ! » fit la voix d'outre-tombe que, semblait-il, j'étais le seul à entendre.

« Vous êtes content, l'abbé ? » fis-je en regardant une fois de plus le ciel, un ciel confiné au plafond légèrement graisseux du bistro.

Je n'entendis pas sa réponse, si réponse il y eut, car tous les clients, d'un commun accord, s'étaient levés en brandissant leurs verres et leurs chopes pour célébrer l'heureux dénouement.

— Une autre tournée ! clama ma généreuse Valentina, oubliant que Pélopidas n'acceptait pas les cartes de crédit.

Dans cette atmosphère de liesse, nos amis ne demandaient pas mieux que d'organiser une autre fête à brève échéance. Nous nous livrâmes donc sur place à l'agréable devoir de dresser une liste d'invités. Les Bryth et les Scotti agiraient comme parrains et marraines et un ami suisse philosophe et écrivain, Georg Hasenfuss, serait en quelque sorte le garçon d'honneur.

— Pourquoi un garçon d'honneur ? demandai-je à ma femme. Les garçons d'honneur, c'est pour les mariages, il me semble.

— Ça n'a pas d'importance. C'est simplement une raison pour recevoir Georg, qu'on n'a pas vu depuis longtemps.

— Et pourquoi pas ? acquiesçai-je, me souvenant que ce Zurichois ressemblant un peu à Hans Christian Andersen avait eu naguère maille à partir avec Charlie, notre fantôme maison.

Georg, quand il venait à Munich donner des conférences sur un de ses sujets préférés — le vouloir-vivre est la racine de tous les maux — habitait chez ma belle-mère et couchait dans la petite pièce attenante à la cuisine où ma fille Julia avait déjà dû subir les foudres de Charlie qui s'étaient manifestées par un infernal tintamarre.

Or, une nuit, Georg, épuisé par une confrontation avec un philosophe munichois qui détestait le pessimisme de Schopenhauer, avait mis moins de cinq minutes à sombrer dans un sommeil lourd et profond, peuplé de rêves cabalistiques.

Réveillé en sursaut par un bruit étrange semblable à une voile qui claquait au vent (toujours le même signe précurseur), il essaya de s'extirper de sa couche mais, comme paralysé, en fut incapable.

— Je ne jouerai pas au brave, nous avait-il raconté. Jamais, dans ma vie, je n'ai eu aussi peur. J'étais terrorisé. Je voulus crier, mais ne réussis qu'à émettre un faible trémolo rapidement enterré par un bruit de chaînes qui s'entrechoquaient.

Il s'était arrêté comme si ce souvenir lui faisait revivre ces terribles moments.

— Et alors? avais-je demandé, sadiquement heureux de constater que même un philosophe pouvait avoir peur.

— Et alors, j'aperçus, au-dessus de ma tête, une immense chope de bière qui semblait sortir du plafond et qui n'était retenue par rien et, en moins de temps qu'il ne faut pour crier *Prosit*, j'étais complètement trempé.

— Hi... hi... avais-je fait. Il a quand même un bon sens de l'humour, ce Charlie.

Georg ne l'avait pas trouvé drôle.

Cela s'était passé deux ans auparavant.

— Va donc pour Georg. Combien de personnes veux-tu inviter?

— Une vingtaine au moins. Nos amis, nos voisins...

— Tous nos voisins?

— Nos voisins sont nos amis et je ne peux pas en inviter un sans inviter les autres.

— Même cet ivrogne de Saft?

— J'ai dit: tous nos voisins. Et c'est ça qui est ça.

C'était sans réplique.

Je notai donc sur un bout de papier: les Bryth, les Scotti, Georg, *Herr* Graf et son éphèbe, le biberon Saft et sa femme Apfel, les Hartung, les Grigoleit, les Dengler, Brigitte et un de ses vingt-sept amants, Fric et Frac...

— Fric et Frac, m'interrompit Valentina. Mais qui sont Fric et Frac?

— Ben... les charmants serpents des Dengler, niaisai-je.

— Cesse de faire le con, veux-tu. Ça fait combien jusqu'à maintenant?

— Si j'élimine Fric et Frac, ça fait dix-sept, plus belle-maman et nous quatre: ça fait exactement vingt-deux, conclus-je savamment. Ah! j'oubliais... Charlie.

Elle se contenta de hausser les épaules et d'effectuer un léger balancement de tête comme cela lui arrivait souvent quand elle jugeait que j'énonçais des âneries.

— Et moi ? fit Pélopidas, qui fouinait dans les environs. Et moi, un vieil ami, on ne m'invite pas ?

— Bien... hésitai-je.

— On ne saurait se passer de toi, enchaîna rapidement Valentina.

— Nous serons donc vingt-quatre, re-conclus-je toujours aussi savamment.

— Une tournée pour tout le monde, hurla le rondouillet Pélopidas.

De tournée en tournée, de sirtaki en sirtaki, de billevisée en billevesée, de coquecigrue en coquecigrue, nous quittâmes Giorgios à la file indienne dans une farandole endiablée menée par Pélopidas lui-même, farandole qui nous fit parcourir une distance d'au moins un demi-kilomètre en plein milieu du boulevard Ainmiller, sous les invectives de dormeurs furieux.

Il était trois heures du matin.

À ma grande surprise, en réintégrant le 28, rue Kurfürsten, j'entendis une voix que je reconnus tout de suite :

— Le jour de gloire est arrivé.

J'en restai baba.

— Mais vous ne dormez jamais, *Herr* Graf ?

— Jamais, les jours de pleine lune. À mon âge, j'essaie de profiter pleinement des bonnes choses.

Il nous fit là-dessus un claquement de talons dont l'écho alla se répercuter aux quatre coins de Schwabing.

— « Mon pays, ce n'est pas un pays, c'est l'hiver », lui lançai-je pendant que ma bergère me tirait par la manche.

— Viens, nous avons d'importantes décisions à prendre demain.

En face, au deuxième étage, la vieille veillait à sa fenêtre, avec toujours ce regard éteint.

Une heure plus tard, incapable de dormir et soudainement assoiffé, je me dirigeai à pas de loup vers la cuisine, évitant de lever la tête en direction de l'interphone. Ma montre indiquait quatre heures dix minutes.

— Quel poltron tu es! me dis-je.

En passant devant le grand miroir du couloir, je fus cloué sur place par un courant d'air froid qui me transperça de mille frissons. Je voulus crier, j'en fus incapable. Voilà que ça recommençait. Est-ce que je rêvais ou si Charlie s'amusait à jouer avec moi pour me faire peur et me lancer un message? Pendant ce qui me sembla une éternité, j'essayai de bouger, mais une force surnaturelle m'empêchait de le faire. Et toujours ce vent glacial qui me balayait le corps. Dans le miroir, je ne pouvais distinguer que l'ombre de mon visage grimaçant et distordu.

Puis tout à coup, sans crier gare, une voix caverneuse semblant émerger des entrailles de la terre se mit à rire et à rire...

Si seulement je pouvais m'éloigner de ce maudit miroir qui me retenait comme un aimant, peut-être réussirais-je à arrêter cette lugubre mise en scène.

Récupérant toutes mes forces, je fis un violent mouvement vers ma droite et me retrouvai sur mon séant. Tout le tintamarre cessa automatiquement.

Je rampai jusqu'à la cuisine et, d'une main tremblotante, je me versai un plein verre d'eau minérale extraite des ondes pures et limpides des sources de la vallée romantique de Rothenburg-ob-der-Tauber.

— *Allah ist gross... Allah ist gross...* Allah est grand..., entendis-je tout à coup dans la nuit, paroles qui furent suivies d'un pot-pourri d'incantations psalmodiées par un duo de voix de faussets semblant émaner des profondeurs de la terre.

Je reconnus immédiatement les voix du couple Dengler et, doté d'une nouvelle énergie, je me précipitai sur le balcon. Ils étaient là tous les deux prosternés vers la pleine lune, se prenant sans doute pour des muezzins dans leurs pyjamas d'un blanc immaculé, leurs têtes enroulées dans d'étranges turbans. Ma montre indiquait quatre heures moins vingt. Le mystère continuait à planer au-dessus de ma tête comme un mauvais nuage. Comment pouvait-il être quatre heures moins vingt quand, dix minutes plus tôt, il était quatre heures dix ?

— Suis-je en train de sombrer dans un delirium précoce ? m'inquiétai-je. Sont-ce les effets maléfiques de l'ouzo de Pélopidas ?

— *Entschuldigung, mein lieber Herr, haben wir Sie aufgeweckt ?* fit une voix au-dessous.

Herr Dengler venait de m'apercevoir.

— Non, non, vous ne m'avez pas réveillé ; soyez sans inquiétude. J'ai toujours beaucoup de difficulté à dormir les soirs de pleine lune.

Je ne mentais pas ; la pleine lune avait sur moi un énorme ascendant et me plongeait souvent dans des transes inquiétantes : fébrilité incontrôlable, battements de cœur irréguliers, sérieuse propension à remettre mon métier en question, à culpabiliser de ne pas avoir poussé plus loin une carrière de chanteur d'opéra et de coureur de fond olympique.

— Je ne vous savais pas musulmans, fis-je aux Dengler, qui s'étaient relevés et poursuivaient la conversation comme si de rien n'était.

— Nous sommes un peu ça aussi, me répondit Dengler, selon nos états d'âme et nos cartes du ciel. Certains jours, nous sommes aussi bouddhistes, quelque-fois catholiques, surtout le jour de Noël, et il nous arrive même de célébrer le sabbat.

— Croyez-vous aux fantômes ? coq-à-l'ânai-je, soudain conscient que, avec toutes leurs incantations et leurs excentricités, les Dengler étaient susceptibles d'entrer en communication avec des êtres d'une autre dimension.

— Mais comment donc ! Je vous ai déjà raconté que, lors de séances de spiritisme, j'avais réussi à parler à feu mon père, cette fripouille. Tiens, justement, dans une dizaine de jours, notre gourou Kun-lun Tsang-po organise une séance de spiritisme et, si ça vous intéresse, je vous invite.

— Pourquoi pas, fis-je.

Je me rendis compte tout à coup du ridicule de la situation : aux environs de quatre heures du matin — je ne savais plus très bien — j'étais en train de discuter spiritisme et fantôme de balcon à balcon avec un couple d'excentriques. Je sombrais en pleine psychasthénie. Je me sentis très las.

— *Gute Nacht*, lançai-je. *Bis Morgen.*

— *Vielleicht eine kleine Tasse Kaffee?* fit *Frau* Dengler.

— Surtout pas, mais merci quand même, répondis-je en français pour ne pas insulter cette brave dame.

Je réintégrai ma couche et sombrai aussitôt dans un sommeil peuplé de terribles cauchemars, de sorte qu'à mon réveil, quelques heures plus tard, j'étais incapable de décider si j'avais vécu tout ça ou si l'ouzo et l'ail de Pélopidas m'avaient précipité dans des rêves presque conscients.

« Peut-être souffres-tu de somnambulisme ? » fit une voix intérieure.

« Ne commence pas à inventer des histoires. Je suis assez troublé comme ça. Alors débarrasse ! J'ai soif. »

Je repris le chemin de la cuisine et eus une légère hésitation en passant devant le miroir, qui ne fit que me renvoyer mon image échevelée et pâlotte, et même un peu cireuse.

— Tu vois bien que tu as rêvé, grand crétin, me dis-je modestement.

La bouteille d'eau minérale était sur la table, la porte menant au balcon était entrouverte et, sur la corde à linge des Dengler, pendaient deux turbans et deux pyjamas d'une blancheur immaculée.

« Es-tu bien certain d'avoir rêvé, toi et ton scepticisme à la con ? Tu devrais peut-être rendre une petite visite aux Dengler », fit une de mes voix intérieures, celle qui me tapait le plus sur les nerfs.

Je vidai la bouteille d'eau minérale d'un trait et me préparai un café très noir. Dans ma précipitation, je me brûlai la langue et le palais.

Les événements des derniers jours et surtout des dernières heures commençaient à sérieusement m'ébranler. C'est bien beau l'aventure, mais il y a des limites. Je me souvins tout à coup de mes rosiers en fleurs, de mes deux perruches, de la quiétude de mon petit jardin, des joyeux étés montréalais et de Joachim du Bellay.

«Quand revoiroy-je hélas! de mon petit village
Fumer la cheminée? Et en quelle saison
Revoiroy-je le clos de ma pauvre maison,
Qui m'est une province et beaucoup d'avantage»

«Je te l'avais bien dit que tu étais un pleutre», fit une voix du côté cour.

«Après, tu viendras nous faire croire que tu ne crois pas aux fantômes», en fit une autre du côté jardin.

Ces deux voix émanant du tréfonds de ma conscience me convainquirent que je devais poursuivre ma mission: celle de démasquer ce Charlie de malheur, qui semblait vouloir me défier avec de plus en plus d'insistance.

— Tu ne m'auras pas, spectre de mes fesses, lémure larvé, l'insultai-je sans qu'il réplique.

Sur cette bravade, je m'envoyai une autre lampée de café noir et me rebrûlai langue et palais.

Sur son balcon, Brigitte, dans le plus simple appareil, se faisait dorer la couenne. Sur le sien, Siegfried Hartung la dévorait des yeux avec une paire de minuscules jumelles.

Brigitte l'aperçut et lui lança un de ses plus beaux et plus lascifs sourires. Sacrée Brigitte!

* * * * *

Les dieux s'étaient donné le mot et avaient généreusement acquiescé à nos prières: il faisait un temps impérial en ce dimanche béni.

Dans quelques instants, nos deux filles seraient lavées à tout jamais de la tache originelle et accéderaient enfin, un peu en retard peut-être, au Royaume des Justes. C'est mon vieux professeur qui serait content.

— Y est jamais trop tard pour bien faire, n'est-ce pas l'abbé ? fis-je en le cherchant quelque part dans l'infini azuré.

Nous étions tous là, à la porte de la petite chapelle surmontée de son clocher baroque en forme d'oignon, et attendions que le curé vienne nous chercher pour procéder à la joyeuse cérémonie.

Personne parmi les parents, voisins et amis n'avait refusé notre invitation. Ils étaient tous présents, fringués de leurs plus élégants oripeaux, et babillaient gaiement tout en s'extasiant sur le décor bucolique du petit village de Unterbachern sis à une quarantaine de kilomètres de Munich, au nord de Dachau.

C'est Valentina qui, pour notre grand plaisir, avait eu l'idée de choisir cet endroit idyllique où elle s'était égarée un jour, se jurant qu'elle y reviendrait pour célébrer un événement important.

Derrière la petite église, au-delà du cimetière, dans un froufrou de haies et de lierres grimpants, s'élevait le Gasthaus Zum Stadbauer dont la devanture rutilait de fleurs multicolores dans leurs boîtes en bois de pin.

C'est dans ce restaurant que se poursuivraient les agapes après la cérémonie religieuse. Nous avions réservé la plus longue table, qui pouvait recevoir une trentaine de personnes.

— Pour le menu, je vous fais confiance, avait dit Valentina à la patronne, une femme forte qui menait son affaire de main de maître et qui avait pour seul défaut de faire confiance à son fils, un grand efflanqué qui n'avait jamais rien foutu de sa vie et qui, âgé d'une quarantaine d'années, donnait l'impression d'avoir encore à demander la permission à sa mère s'il devait faire pipi.

J'exagère probablement un peu, mais j'étais incapable de supporter les grands airs de ce maître d'hôtel d'opérette et j'avais une envie irrépressible de lui flanquer mon pied au cul.

— Tâche de maîtriser tes émotions, au moins aujourd'hui, m'avait recommandé ma femme, qui devinait mes états d'âme comme si elle les avait tricotés. Regarde un peu tes deux filles et vois comme elles sont belles dans leurs petites robes noires à cols blancs.

De mes bras herculéens, malgré leurs protestations, j'allais les hisser à la hauteur de mes épaules lorsque le curé vint nous inviter à prendre place dans la chapelle.

Le curé — il était plus noir que la Pierre noire de La Mecque — venait de Lambaréné au Gabon et avait été délégué par le Vatican pour prendre la relève du titulaire de la paroisse, le père Wolkenkratzer, pendant ses vacances. Le père Bongo, un homme d'une intelligence supérieure — nous avions eu l'occasion de le constater dans une rencontre préliminaire — parlait français, anglais, allemand et latin.

— Si ça ne vous embête pas, j'utiliserai trois langues pendant la cérémonie. Ainsi, tout le monde comprendra.

Le père Bongo nous ouvrit le chemin de la chapelle et invita notre noble assemblée à prendre place.

Valentina, les deux filles et moi, les parrains et marraines formâmes un demi-cercle autour des fonts baptismaux pendant que les autres invités prenaient sagement place derrière les prie-Dieu.

Je fus soudainement frappé par le côté original, pour ne pas dire insolite, du moment. Cette chapelle toute jolie dans un petit village isolé d'à peine une centaine d'habitants au fin fond de la Bavière, ce prêtre gabonais parlant allemand, cet aréopage hétéroclite de personnages bizarres et un peu excentriques, tous ces bruits campagnards venant de la grange en face rendraient inoubliable cette journée, certainement la plus exotique de ma vie.

— Tu as les petites chaînes? me chuchota Valentina.

— Bien sûr. Comment aurais-je pu les oublier?

J'extirpai de ma poche les deux chaînettes en or avec leurs croix orthodoxes également en or et les lui remis. Les croix orthodoxes avaient cette particularité d'être formées de deux croisillons superposés. Celui du bas à droite était légèrement penché en direction du sol et représentait le mauvais larron qu'attendaient Lucifer et ses feux infernaux; celui de gauche, légèrement surélevé vers le ciel, représentait le bon larron.

— Tu ne crois pas que le père Bongo aurait préféré les traditionnelles croix catholiques? m'étais-je inquiété à ma femme.

— Je crois qu'il est assez large d'esprit pour comprendre que je ne peux pas renier complètement mes origines, m'avait-elle répondu.

— Je vous baptise au nom du Père, du Fils et du Saint-Esprit, fit solennellement le père Bongo tout en oignant mes filles au front avec une eau bénite du meilleur cru.

— C'est qui le Saint-Esprit? me chuchota ma fille Nina, manifestant bien par là le peu d'intérêt que nous avions montré envers le salut de son âme.

— Chut... chut... lui fis-je; je t'expliquerai tout ça un peu plus tard.

— Non, je veux savoir tout de suite, insista-t-elle, ce qui eut pour effet de dérider tous nos amis, qui jusque-là avaient observé le plus respectueux mutisme.

Heureusement, le père Bongo prit les choses en main et interrompit le déroulement de la cérémonie pour expliquer à ma cadette que le Saint-Esprit était la troisième personne de la Trinité qui procédait du Père par le Fils et que...

Elle le regardait avec ses grands yeux inquisiteurs et comprenait de moins en moins.

C'est *Herr* Dengler qui vint changer le cours des choses en entonnant *a capella* ce qui nous sembla être un psaume ou un cantique, ou les deux, dans une langue que personne ne semblait connaître. Aussi, quand il nous demanda de reprendre le refrain en chœur, se buta-t-il à un mur de silence. Il nous expliqua par la suite qu'il s'agissait là d'un chant à la gloire du dalaï-lama que lui avait appris son maître à penser Kun-lun Tsang-po.

— Ça ne me semble pas tout à fait approprié, gronda doucement le père Bongo, pendant que tous les invités en avaient mal au ventre de retenir l'hilarité qui les envahissait devant cette cérémonie qui prenait des allures un peu loufoques et très peu respectueuses de la solennité des lieux.

Puis ce fut au tour de Saft de s'illustrer par des ronflements sonores et gutturaux impossibles à réprimer malgré les efforts de sa femme Apfel, qui le secouait comme un vieux pommier. De la poche arrière de son pantalon émergeait une bouteille à moitié vide d'un schnaps aux cerises noires de fabrication artisanale.

Finalement, d'une magistrale tape du revers de la main en plein sur le mufle, cette pauvre Apfel, dont l'humiliation était palpable, réussit à mettre un terme à cette désagréable cacophonie.

Saft émit ensuite une série de borborygmes et de gargouillis et fut expulsé des lieux *manu militari* grâce aux bons soins de nos voisins Graf et Grigoleit.

— Je t'avais prévenue de ne pas inviter cette loque, chuchotai-je à ma femme, qui ne jugea pas bon de me répondre.

Le pauvre père Bongo, après avoir exigé un peu de décorum et s'être sans doute demandé ce qu'il était venu faire dans cette galère, put enfin terminer le cérémonial.

Suivit un court laïus de Friedl Bryth, élu à l'unanimité représentant des parrains et marraines, qui souligna « l'importance du baptême dans la vie de tout être humain possédant un minimum de raison et aussi l'importance de bien célébrer le passage au rang des élues de ces deux jeunes âmes jusque-là tenues dans les abysses de l'agnosticisme ambulatoire» *(sic)*.

— Qu'est-ce qu'il veut dire par là, agnosticisme ambulatoire? m'enquis-je à Valentina.

— Je n'en ai aucune idée. Je te parie qu'il ne le sait pas lui-même. De toute façon, dans son cas, il ne faut pas se poser trop de questions, ça part toujours de bons sentiments.

La plupart des habitants en état de marche d'Unterbachern nous attendaient à notre sortie de la petite chapelle et nos deux filles furent accueillies par une pluie de confettis, de banderoles multicolores et de dragées pendant que le bedeau, à bout de bras, faisait joyeusement résonner l'unique cloche dont les échos allaient se répercuter aux quatre coins du village. Le bedeau avait cette particularité d'être en même temps le *Burgmeister* (le maire) du charmant petit village d'Unterbachern. Il portait pour la circonstance son costume d'apparat: petit chapeau à plume, des *lederhosen* dont les bretelles s'étalaient sur une chemise blanche à manches courtes recouvrant un bide auquel des années de consommation de bières blondes, brunes et noires avaient donné des proportions gargantuesques.

— Faut-il l'inviter lui aussi à nos agapes? m'inquiétai-je à ma femme.

— Cela va de soi, fit-elle généreusement. Je pense qu'il s'y attend.

Je commençai à me demander si tous les habitants qui nous avaient emboîté le pas s'imaginaient qu'ils étaient eux aussi invités.

Je m'en ouvris au père Bongo, qui la trouva bien drôle.

— Mais non, mais non; ils veulent simplement marquer l'occasion et participer aux réjouissances. Vous verrez, ils vont nous suivre jusqu'à la porte du restaurant et retourner ensuite vaquer à leurs occupations.

«Pfiou!» fis-je.

J'avais craint, pendant un court moment, de voir mes économies des dix prochaines années s'envoler en l'espace d'une bouffe.

Maudit dollar canadien qui ne vaut pas un pet de sauterelle dans ce coin du monde ! Merci à nos hommes politiques, ces grands stratèges de la finance, ces académiciens du vide, ces empereurs de la vacuité ! Je leur en voulais de ne pas pouvoir inviter tous ces braves gens à se joindre à nous, ne fût-ce que pour un godet ou deux.

Nous serions donc vingt-sept au total, en incluant le père Bongo, le maire et sa digne épouse, qui devait bien faire dans les cent vingt kilos.

— Tu as l'air bien sombre, remarqua Valentina.

— Non, non, juste un petit coup de nostalgie, c'est tout, répondis-je sans élaborer.

De toute façon, nous étions rendus à destination et notre hôtesse, *Frau* Rostnagel, nous attendait avec son hurluberlu de fils, qui ressemblait à s'y méprendre au Kaspar Hauser du film de Werner Herzog.

— *Alles is fertig und so schön*, tout est prêt et tellement joli, fit-elle en nous accueillant et en affichant son sourire des grands jours, celui de la caisse enregistreuse en folie.

— *Ich stehe zu ihren Diensten*, je suis à votre service, renchérit le grand efflanqué de fils, avec une arrogance qui me donna encore une fois envie de lui foutre mon pied là où les poules ont l'œuf.

— *Ruhig !* me glissa ma femme à l'oreille. Oublie qu'il est là.

Kaspar Hauser me toisa. Il avait deviné mon animosité. Je le toisai à mon tour, laissant peser mon regard sur sa caboche recouverte, je venais tout juste de m'en rendre compte, d'une moumoute. Il détourna les yeux et fit semblant de s'affairer à autre chose.

« *Eins zu null für mich*, un à zéro pour moi », me dis-je avec satisfaction.

Frau Rostnagel nous invita à prendre place autour de la grande table et nous annonça qu'elle nous avait préparé un festin dont nous nous souviendrions longtemps.

— *Zuerst, meine damen und herren, ein vortreflicher kleine Haus Schnaps.* D'abord, messieurs, dames, un excellent petit schnaps maison.

Les vingt-sept convives levèrent tous leurs minuscules verres en même temps en direction des deux vedettes de cette sainte journée, Julia et Nina, qui, elles, se contentaient d'un jus de pomme lui aussi maison. Elles étaient pimpantes et resplendissantes comme si la grâce du Saint-Esprit leur avait donné une nouvelle auréole.

La mère Rostnagel nous présenta ensuite le menu : un long parchemin sur lequel, écrits à la main, se dressaient une série de plats à vous mettre l'eau à la bouche et à faire fondre de rage Brigitte Bardot et toutes les associations vouées à la sauvegarde des animaux sauvages.

— *Verschiedenes Wildbret und von unserem Wald*, claironna-t-elle fièrement. Des gibiers de toutes sortes venant de notre forêt.

— Et c'est moi qui les ai descendus, ajouta le grand escogriffe, que je détestai encore plus.

— Je me refuse à manger de ça, annonça *Herr* Dengler. La viande est la source de tous les maux et je me contenterai de soupe et de légume, ajouta-t-il pendant que son hirsute épouse opinait du bonnet.

Nous avions un choix de pièces de cerf, de chevreuil, de daim et de sanglier.

La remarque de Dengler avait jeté une légère douche d'eau froide sur les convives, mais tout fut oublié quand Friedl demanda au père Bongo de réciter le bénédicité.

Nous attaquâmes la *Knödelsuppe* avec un appétit et une joie non dissimulés.

Ils étaient tous là, ces gens qui avaient fait la joie de mon été.

Herr Graf souriait tendrement à son fils adoptif, pendant que Brigitte faisait du pied à son voisin de gauche, Siegfried Hartung, qui se tortillait dans tous les sens, ne sachant comment réagir aux attaques sous-table de la pulpeuse gynécologue. Son troisième mari, Dieter, qui n'était pas dupe, se mit lui-même à faire du pied à sa voisine, *Frau* Grigoleit, qui devint tout à coup rouge comme une tomate.

Saft, toujours dans un état second, menaçait de rouler sous la table au grand déplaisir de sa pauvre femme, Apfel, qui faisait des prodiges pour le tenir éveillé.

Et toujours ce soleil qui nous tapait dessus sans vergogne : pas un seul petit nuage dans ce ciel d'un bleu légèrement voilé qui contrastait avec nos cieux québécois, dont la luminosité était beaucoup plus intense. C'était là un phénomène qui me frappait toujours quand je revenais au pays de mes aïeux.

— *Prosit !* firent les Bryth et les Scotti en levant leur *mass* remplies jusqu'au bord d'une belle bière blonde.

Tout le monde — sauf Saft — se leva d'un seul trait pour rendre encore une fois hommage à nos deux filles rouges de plaisir.

« Le jour de gloire est arrivé ! » lança *Herr* Graf lorsqu'il aperçut les trois filles de table s'amenant gaiement avec les grandes assiettes débordantes de venaisons et apportant un parfum de chasse qui nous titilla fort agréablement les naseaux.

— « *Im Weissen Rösl am Wolfgang See...* » ne put s'empêcher d'entonner Elsa Hartung d'une voix légèrement mouillée et passablement éraillée à l'aigu.

À la grande satisfaction de tout le monde, elle fut prise d'une quinte de toux qui stoppa son concert improvisé. L'abus du tabac, drogue dont elle ne pouvait plus se passer, était en train de détruire une carrière quand même assez réussie. La critique en général n'avait pas été tendre pour cette excentrique chanteuse d'opérettes à la reprise de *L'Auberge du Cheval blanc*, qu'elle avait chantée des centaines de fois au cours de sa carrière. La fumée et la nicotine lui avaient à ce point irrité les cordes vocales et le gosier qu'il lui était maintenant impossible de se débarrasser du chat qui s'était logé en permanence au fond de sa gorge.

« Elsa Hartung devrait avoir l'intelligence de mettre un terme à sa carrière. Non seulement n'est-elle plus capable de chanter, mais les sons qu'elle émet, proches de la plus désagréable crécelle, ont de quoi choquer les oreilles les plus clémentes. Pitoyable ! » avait conclu le critique Jürgen Hornbläser dans le très sérieux *Süddeutsche Zeitung*.

Cette pauvre Elsa, après avoir à peu près retrouvé son souffle, s'alluma un long cigarillo, au grand dam de *Herr* Dengler qui lui signifia son mécontentement en sortant de table avec fracas et en renversant sa chaise au passage.

Il faut dire que les relations entre Elsa et Dengler n'avaient jamais été très bonnes. Il lui reprochait sa fumée, et elle, ses serpents, dont elle avait une peur bleue.

— Je reviendrai quand cette... cette... — il cherchait le mot — ... quand cette empoisonneuse aura écrasé.

Tous les convives se regardaient sans mot dire, surpris de cette intempestive sortie.

— Écoutez, fit le père Bongo, n'allons pas gâter une si belle journée avec ce genre de querelle. C'est la fête des enfants aujourd'hui. De grâce, que ceux et celles qui veulent fumer le fassent un peu à l'écart. Ce n'est pas l'espace qui manque ici.

Elsa écrasa et Dengler reprit sa place. Dans les minutes qui suivirent, on n'entendit que le bruit des ustensiles et les soupirs de satisfaction des dîneurs, qui ne laissèrent rien dans leurs assiettes, sauf le couple Dengler qui se contenta de manger ses légumes.

— *Gut gegessen ?* Bien mangé ? s'informa la patronne.

— *Wunderschön !* nous exclamâmes-nous unanimement.

— *Dank mir*, grâce à moi, se vanta son demeuré de fils. Je parie que vous n'avez jamais chassé, ajouta-t-il à mon intention, voulant sans doute me donner l'impression que j'étais le dernier des tarés.

J'allais lui conseiller de ne jamais me mettre un fusil entre les mains s'il voulait sauver son fond de culotte, mais, encore une fois, Valentina me retint.

— Attends de voir le dessert, me dit-elle pour détourner mon attention.

Elle connaissait mon faible pour les sucreries.

— Ce gros lard ne perd rien pour attendre, sois-en certaine. Un de ces jours, un de ces jours...

— *Ah, mein Herr*, interrompit *Herr* Graf tout fier de lui : « Car ton bras sait porter l'épée, il sait porter la croix. »

Puis il me regarda de ses petits yeux perçants, attendant mon approbation. Il avait récité ces vers de l'hymne national du Canada pour me faire plaisir.

— Je ne saurais vous dire comme je suis touché, *Herr* Graf, mille fois merci de cette belle attention.

Je n'osai pas lui dire que, n'étant pas cocardier, tout ce qui était hymne national et drapeau me laissait complètement froid. Enfin, ce brave Graf venait d'ajouter à son bagage très limité de la magnifique langue française tout en confirmant que son instinct patriotique n'avait point de limites. Fier de lui, il retourna prendre place auprès de son fils adoptif, ce jeune éphèbe plus blond qu'un blé du Midi, véritable dolichocéphale, plus que parfait spécimen de la race aryenne mais qui, malheureusement, dès qu'il bougeait, avait une démarche tellement efféminée qu'il rappelait la célèbre Marlène Dietrich en train de séduire ce pauvre Emil Jannings dans *L'Ange bleu*, sauf qu'elle me semblait un tantinet plus masculine que lui.

— Ah ! enfin le dessert ! s'exclamèrent simultanément mes filles Julia et Nina, qui salivaient à la vue des larges coupes remplies de *Rote Grütze*, ce mélange de tout ce qui existe comme petits fruits rouges : cerises, cerisettes, griottes, bigarreaux, merises, guignes et j'en passe. Le tout était recouvert de crème glacée à la vanille et d'une épaisse *Schlagsahne* (crème fouettée) maison.

— C'est moi qui les ai cueillis, se vanta l'efflanqué du haut de son mètre quatre-vingt-seize. C'est aussi moi qui ai fouetté la crème, n'est-ce pas maman ? ajouta-t-il, cherchant l'approbation des convives et, en même temps, de sa chère nounou.

— C'est très bien, fiston, c'est très bien, fit-elle d'un air un peu agacé.

— Non, mais t'as vu, t'as vu ? Quelle grande nouille ! dis-je à Valentina, qui me refila un puissant coup de coude dans les côtes.

— Veux-tu bien manger ton dessert et te taire !

Elle avait raison. J'avais beaucoup de difficulté à me débarrasser d'une fâcheuse propension à m'acharner quand quelqu'un ou quelque chose me tapait sur les nerfs.

— Je propose un toast à l'amitié et au bon voisinage ! déclamai-je en levant le minuscule verre de schnaps qu'on venait tout juste de nous offrir en guise de digestif.

— C'est la maison qui vous l'offre, avait fait la patronne.

— C'est bien la moindre des choses avec tout ce qu'on va laisser ici en marks sonnants et trébuchants, avais-je marmonné.

Je n'allais quand même pas bouder mon plaisir, d'autant plus que Valentina et Kyra payaient toutes les dépenses.

— Tu es bien trop pauvre avec ton famélique dollar canadien, m'avaient-elles dit.

Sans trop de mal, je m'étais laissé convaincre, me sentant malgré tout un peu minable ; ce qui m'incita, une fois de plus, à jeter ma gourme sur tous les hommes politiques qui avaient collaboré à nous rendre économiquement ridicules et avaient presque fait de nous un pays du tiers-monde.

Je fus tiré de mes sombres pensées par notre ami philosophe, qui nous invita tous à apposer notre griffe sur un énorme ballon rouge gonflé à l'hélium, que nous laissâmes ensuite aller se perdre dans l'infini.

Pendant un long moment, nous observâmes en silence cette mini-montgolfière transportant tous les bons vœux de nos amis et voisins à l'endroit de Julia et de Nina, espérant qu'elle tomberait entre les mains d'un bienveillant extraterrestre.

Belle image que cette boule rouge vif disparaissant doucement dans le bleu azur du firmament.

Cette fabuleuse journée, dont nos deux filles se souviendraient, nous le souhaitions, jusqu'à la fin de leurs jours, se termina par une longue promenade bucolique à travers les champs du petit village d'Unterbachern. Nous avions tous un petit sourire accroché aux lèvres, conscients d'avoir vécu un moment privilégié, un de ces moments qu'on se rappelle toute sa vie.

Il faisait nuit quand nous réintégrâmes le 28, Kurfürstenstrasse.

— C'est qui le Saint-Esprit? demanda Nina avant de s'endormir.

Heureusement, je n'eus pas à tenter de lui expliquer; elle dormait déjà du sommeil du Juste.

* * * * *

— Dieu! que ces cinq semaines ont passé vite! s'exclama ma douce, avant d'avaler un plein bol de gruau Quaker Oats, une habitude qu'elle avait acquise peu de temps après son arrivée au Québec.

— À qui le dis-tu, renchéris-je en enfournant moi-même une moitié de *Schneckl*, brioche typiquement munichoise possédant de sérieuses affinités avec la brioche suédoise.

— *Grüss Gott*, dit Kyra en faisant une entrée remarquée dans une nouvelle robe de chambre blanche piquée de divers motifs bavarois et en s'empressant de se verser une pleine tasse d'un café bien noir.

Ce *grüss Gott* était la façon qu'avaient les Bavarois de se saluer et qu'on pourrait traduire par «salut à Dieu». Ladite formule montrait bien les origines chrétiennes de cette province érigée en royaume en 814 par Louis dit le Pieux.

— Tu es certain que tu pourras te débrouiller en notre absence? me fit Valentina comme si j'étais le dernier des crétins.

— Sois sans inquiétude, je saurai bien m'occuper.

Mes quatre femmes allaient faire leur pèlerinage annuel dans le petit village de Nussdorf — environ cent soixante kilomètres de Munich — où une vieille tante coulait ses derniers jours dans une coquette maison bordant un petit ruisseau, au pied d'une haute montagne : un endroit magnifique comme il y en a tellement dans ce coin du monde malheureusement ignoré par les Canadiens en général et par les Québécois en particulier. Tant pis pour vous, amis lecteurs, vous ne savez pas ce que vous ratez. (Remarquez qu'il s'agit là d'une opinion tout à fait personnelle et que je jure ne pas être à la solde de la Chambre de commerce du Land de Bavière.)

Comme notre séjour tirait à sa fin, je pourrais enfin, dans la solitude de notre logement, affronter ce maudit fantôme, tel que je me l'étais formellement promis. Cette seule pensée me terrorisait.

«À la guerre comme à la guerre, triste pleutre», me fit cette détestable voix intérieure dont le seul but dans la vie était de me tourmenter.

— Prends bien soin de Charlie en notre absence, ironisa belle-maman, pour ajouter à mon mouron.

— Il n'a qu'à bien se tenir. C'est cette nuit ou jamais, bravai-je, conscient qu'une insidieuse trouille commençait à me glacer les sangs et à me foutre une colossale chair de poule.

Je craignis qu'on ne remarquât mon émoi mais, heureusement, la conversation avait glissé sur la vieille cousine qui refusait de passer l'arme à gauche en dépit de ses cent deux ans bien sonnés et qui se permettait deux petits verres de blanc du Rhin, tous les jours avant le dîner.

— Vous êtes certaines que Heinrich ne viendra pas aujourd'hui ? demandai-je, souhaitant malgré moi sa rassurante présence.

— Il passe les trois prochains jours à Regensburg, tu seras donc seul avec Charlie, s'empressa de répondre belle-maman avec son plus beau sourire.

Faisait-elle exprès pour me tourner le fer dans la plaie ? Se vengeait-elle des doutes que j'avais émis sur ses expériences ectoplasmiques ?

Le lui demander aurait été trahir ma couardise. Je me tus par conséquent.

— À demain, nous serons de retour en fin d'après-midi pour faire les valises. N'oublie pas de fermer à double tour pour la nuit.

Pourquoi cette recommandation ? Croyait-elle vraiment que Charlie allait se manifester pendant leur absence ? Je me frottai vigoureusement le visage pour chasser ces funestes pensées; j'étais en train de sombrer dans une furieuse paranoïa. Comme je me sentais tout à coup très seul dans le logement devenu soudainement trop vaste, trop silencieux, je m'empressai de faire jouer la radio à pleins tubes et d'ouvrir la porte arrière donnant sur la cour intérieure pour me sortir de mon isolement. Je poussai un soupir de soulagement en voyant *Herr* Graf et son éphèbe qui roucoulaient gentiment sur leur balcon.

— *Grüss Gott*, leur criai-je joyeusement, me sentant un peu moins seul.

— «Car ton bras sait porter l'épée, il sait porter le croix», déclama-t-il gaiement.

— «Le jour de gloire est arrivé», lui répondis-je pour son plus grand plaisir, comme si nous tenions là une conversation des plus passionnantes dans la langue de Molière.

Puis ce fut au tour des Dengler de venir célébrer cette journée toute pleine de soleil sur leur balcon. Ils portaient tous les deux des *lederhosen* qui leur donnaient fière allure. Quelques instants plus tard, Brigitte apparut dans toute sa splendeur, portant un minuscule bikini qui aurait pu tenir dans une boîte d'allumettes. La conversation se poursuivit d'étage à étage, de balcon à balcon, et ce joyeux babillage attira le couple Hartung, qui fit son entrée aux sons rauques d'une virulente quinte de toux émanant des entrailles de la pauvre Elsa, dont les poumons devaient avoir la couleur du charbon. Son condom de mari, à force de claques dans le dos, réussit finalement à la calmer. Elle profita de cette acalmie pour accrocher une cibiche à son fume-cigarette et avala voluptueusement une longue bouffée qu'elle rejeta avec une évidente satisfaction. Son mari leva les épaules avec l'air de dire: «Crève si c'est ça que tu veux; je n'y peux plus rien.»

— #*"##"**, entendîmes-nous tout à coup.

Tout le monde avait reconnu Saft, qui laissa retentir un énorme rot avant de s'envoyer sa première bière de la journée, malgré les protestations de sa femme qui, à notre grande surprise et à la sienne, lui arracha le verre des mains et en versa le contenu dans les airs. Comme les Saft habitaient le dernier étage, nous eûmes tout juste le temps de faire un mouvement de côté pour éviter d'être aspergés. Cette pauvre Apfel se confondit en excuses et poussa son ivrogne de mari, qui alla s'écraser lourdement de l'autre côté de la porte, sur le plancher de la cuisine.

Il n'était que dix heures du matin. Je pris la décision, après avoir présenté mes civilités à tout ce beau monde, de sauter sur mon vélo et de me rendre dans les jardins du château de Nymphenburg, l'ancienne résidence d'été des souverains bavarois. Je m'y livrais régulièrement à des séances de jogging qui avaient le bénéfique effet de me faire retrouver mes sens et de me remettre les billes en ordre. Dieu sait si j'en avais besoin en ce jour très spécial où j'aurais à provoquer un affrontement avec une abstraction, avec l'immatériel, avec ce sacré fantôme baptisé Karli ou Charlie qui n'avait eu de cesse, au cours de ce mois de juillet fertile en émotions de toutes sortes, de troubler et de harceler les miens. N'eût été l'épisode du miroir, je n'y aurais attaché aucune importance et, encore là, je n'étais pas très certain que mon état de demi-somnolence ne m'eût pas fait imaginer tout cela. N'avais-je pas été le seul à être victime de ces courants d'air froid ?

« Tu essaies de te convaincre qu'il n'y a rien là », fit une voix.

— Pas du tout, j'essaie simplement de mettre un peu de logique dans toute cette histoire, répliquai-je à haute voix.

« La logique des hommes n'a aucune valeur quand il s'agit du surnaturel, d'une dimension extraterrestre. »

— Tu m'emmerdes ! conclus-je toujours à haute voix, ce qui eut pour effet de surprendre un couple d'amoureux qui se bécotait dans une encoignure derrière le Musée des carrosses, un des joyaux de ce parc de Nymphenburg.

J'accélérai ma foulée, passai en flèche devant le pavillon de chasse d'Amalienburg et devant le pavillon de bains de Badenburg.

Je courais de plus en plus vite, plus vite que d'habitude, recherchant sans doute le secours de mes glandes endomorphines qui me plongeraient, je le souhaitais, dans une euphorie capable d'exorciser cette angoisse qui empoisonnait ma quiétude et ma sérénité.

Tout à coup, sans crier gare, elles se déclenchèrent au moment où je doublais avec panache deux autres coureurs devant le Magdalenen Klause, ermitage dédié à la mémoire de sainte Madeleine, cette femme pécheresse qui, selon les Évangiles, avait parfumé les pieds de Jésus. Devant le Musée des carrosses, je baignais dans une sensation de bien-être comme j'en avais rarement ressentie. C'était l'euphorie dans toute sa plénitude, dans toute son orgie. J'étais prêt à défier tous les humains et tous les humanoïdes de ce monde. Je découvrais des énergies dont je n'aurais jamais pu soupçonner la présence. Je me sentais invulnérable. J'étais Superman, Vulcain, Arès, Poséidon, Jos Montferrand et le grand Antonio incarnés dans un seul corps : le mien.

Plus vite que la brise, plus tenace qu'un mistral d'automne, j'étais devenu moi-même vent, ravissant à Éole lui-même son titre de maître.

Jusqu'au moment où je m'enfargeai dans un des carrosses dont on était en train de refaire la peinture. C'était celui qui avait servi au couronnement de l'empereur Charles VII, un des joyaux de ce Musée branlant.

L'artisan, qui venait d'étaler sur sa palette une magnifique coulée de bleu pervenche, la couleur préférée d'Isabeau de Bavière, mère de ce brave Charles, me servit une volée de jurons grand cru.

D'un seul coup, toutes mes endomorphines se retranchèrent dans leurs cellules et je ressentis une vive douleur à la cheville gauche, qui avait violemment heurté la roue droite avant de cet historique buggy.

Péniblement, je me relevai en balbutiant quelques vagues excuses, soulignant, pour tenter de l'amadouer, la beauté de son bleu pervenche, le plus beau que j'aie jamais vu.

L'artiste déchaîné, sa belle chemise blanche tout éclaboussée, continuait à m'insulter dans un langage qui m'était inconnu, une espèce de mélange de magyar et de bavarois.

Je lui souhaitai de retrouver ses esprits et, dans un ultime geste de civilité, lui conseillai de consulter un psychiatre et d'aller se faire cuire un œuf.

En claudiquant, je m'éloignai de cette version mâle d'une harpie, espérant qu'il ne se lancerait pas à mes trousses. Fort heureusement, après avoir épuisé son répertoire d'insultes, il empoigna son pinceau et se remit au travail. Dire que je n'en menais pas large serait un euphémisme. Défait, blessé, vaincu, je réussis de peine et de misère à retrouver mon vélo cadenassé à un roseau empanaché et regagnai la route de mon destin, qui me semblait soudainement devenir de plus en plus sombre.

Qu'il me sembla long le chemin qui me ramenait chez moi ! Jamais mon trois vitesses ne m'avait paru aussi lent.

— Maudite cheville ! fis-je.

— Maudit crétin ! me renvoya l'écho.

Perdu dans mes sinistres pensées, je me laissai instinctivement conduire par ma bécane sur le lieu de mon triomphe, c'est-à-dire devant l'Osteria Bavaria.

Je décidai d'aller saluer mon ami Gustavo Haeckel, que je n'avais pas revu depuis la fin de mon enquête.

Il sembla au comble de la joie de me revoir, ce qui eut pour effet de me requinquer. Je lui racontai de quelle façon j'avais réussi à démasquer le faux Hitler, cet Abraham Mickiewicz qui, comble de l'ironie, était d'origine juive. Comme il venait de terminer son travail, je l'invitai à prendre un pot à l'Extra-Blatt.

— Vous savez que nous ne les avons pas revus depuis votre dernière visite ? me dit Gustavo. Vous vous souvenez du petit rondouillard et chauve qui semblait être le valet de l'ex-Obersturmführer ?

— Comment aurais-je pu l'oublier ?

— Il avait sa photo dans la page nécrologique du *Abend Zeitung*.

On précisait qu'il était âgé de quatre-vingt-deux ans et qu'il était propriétaire d'une confiserie dans le nord de la ville, sans mentionner quoi que ce soit sur son passé nazi.

— C'eût été étonnant qu'on le fît, m'entendis-je articuler, m'étonnant au passage de ma maîtrise du subjonctif.

— J'ai bien peur qu'on ne les reverra plus, car les autres n'en menaient pas très large non plus.

— Que voulez-vous, il s'agit d'une espèce en voie de disparition.

Sur ces banalités, je quittai Gustavo après avoir vidé mon verre d'eau minérale et le remerciai de sa précieuse collaboration tout en souhaitant le revoir l'été suivant.

— Cela m'étonnerait. J'ai reçu une offre pour aller travailler dans un centre de ski au Chili et je pense que je vais accepter si ma famille est d'accord.

— L'Osteria Bavaria sans toi et les vieux singes, ça sera plus la même chose. Je ne pense pas y remettre jamais les pieds. De toute façon, c'était beaucoup trop cher. Salue bien Pinochet de ma part.

Je lui serrai vigoureusement la main, sachant que je ne reverrais jamais plus Gustavo Haeckel, ce citoyen du monde et skieur devant l'Éternel.

Force m'était de constater que je retardais de plus en plus l'échéance : celle de me retrouver seul dans l'appartement face au stupide défi d'affronter un fantôme. J'avais beau essayer de me convaincre de la futilité d'une telle entreprise, je n'en ressentais pas moins un trac comme il m'était souvent arrivé d'en avoir au cours de ma carrière de commentateur avant le reportage d'un grand événement. Il me fallait surtout garder mon sang-froid et éviter, à force de me laisser envahir par cette image, de provoquer une présence qui ne serait que le fruit de mon imagination.

« Mais dis-le donc ouvertement que t'as la trouille ! fit une voix. Prends-toi une chambre dans un hôtel et le tour est joué : plus de trouille, plus de fantôme, tout juste un ego un peu égratigné. »

« Jamais ! me répondis-je. Jamais ! Plutôt subir un infarctus que céder à la peur de l'inconnu. »

Rien n'empêche que je n'avais aucune hâte de prouver ma bravoure ; je choisis donc, en dépit de la douleur à ma cheville, de rejoindre sur mon vélo la vallée de l'Isar, cet affluent du Danube qui arrose Munich et qui offre à l'œil des panoramas saisissants.

Le long des rives se faisaient bronzer, dans le plus simple appareil, une multitude de naïades qui n'avaient rien à envier aux divinités des sources et des rivières de la mythologie.

Nez au vent, oubliant la douleur à ma cheville, je faisais semblant de ne pas les voir, mais ne les voyais pas moins. Je dois toutefois avouer que quiconque habite Munich finit par avoir l'habitude de ces spectacles gratuits, les autorités fermant généreusement l'œil sur ce genre d'exhibitionnisme. D'ailleurs, la partie nord du célèbre English Garten est le repaire préféré des nudistes qui, les jours de beau temps, s'y retrouvent par milliers pour jouir des bienfaits du soleil, tout en augmentant de façon dramatique leurs chances d'être couverts à courte échéance de gourmands mélanomes ou de cancers de la peau. Mais que ne risquerait-on pas pour donner à son corps l'éclat du cuivre ou la couleur du bistre ? Très peu pour moi en tout cas. De toute façon, dans un univers naturiste, vous vous sentez ridicule même si vous portez le plus minuscule des shorts.

Ces considérations sur l'être humain mis à nu et sur sa fragilité épidermique m'avaient fait oublier, l'espace d'une vingtaine de kilomètres, mes soucis et mes craintes. J'étais parvenu à la hauteur du village de Grünwald et il me fallait maintenant revenir. Un coup d'œil à ma montre m'indiqua qu'il passait seize heures et qu'il fallait bien que je réintègre mon domicile, d'autant plus que la fatigue et ma cheville endolorie commençaient à sérieuse-ment hypothéquer ma joie de vivre.

Deux heures plus tard, après m'être arrêté au restaurant Zum Pozner et m'être envoyé, sans en jouir, une Pils Urquell et un plat de *Knödeln* agrémenté de pommes frites, je dus me résoudre à réintégrer le 28, rue Kurfürsten. De gros nuages noirs se profilaient à l'horizon, annonçant un orage imminent. Chose étonnante, en grimpant les escaliers, je n'entendis pas les bruits émanant d'habitude des différents appartements, comme si tout le monde avait déserté les lieux. Tous les battants des fenêtres étaient fermés, même chez *Herr* Graf qui passait pourtant le plus clair de son temps dans sa fenêtre. Non plus cette odeur de soupe aux choux, marque de commerce du couple Dengler, ni les jappements de la chienne Jenny ni même les rots assourdissants de Saft. Mais où donc étaient-ils tous passés?

Je finis par me convaincre que j'étais victime de mon imagination, mais Dieu! que je me sentais seul. Après avoir verrouillé à triple tour, je sautai sur le téléphone et composai le numéro des Dengler: aucune réponse.

Et ainsi de suite chez les Graf, les Grigoleit, les Saft et les Hartung. Il fallut me rendre à l'évidence, j'étais plus seul que Robinson Crusoé avant sa rencontre avec Vendredi. Je me souvins que nous étions samedi, jour où il semble que tous les Munichois quittent la ville pour aller s'épivarder dans les montagnes et les campagnes environnantes. À partir de treize heures, tous les marchés et tous les magasins ferment. C'est comme si le temps s'arrêtait, sauf pour le maudit coucou qui, de son abominable voix de crécelle, criailla sept fois et faillit me projeter en bas de mon fauteuil. Décidément, je ne m'habituerais jamais à cet engin de malheur.

— Tu as fini de te moquer de moi, sale oiseau!

Joignant le geste à la parole, j'ouvris la petite porte derrière laquelle il se cachait et, avec une violence que je ne me connaissais pas, je l'arrachai de son nid avec tout son mécanisme et le projetai au fond d'une poubelle.

— Ça t'apprendra, triste connard, à avoir gâté mes étés !

Comment allais-je expliquer à ma belle-mère la disparition de son cher coucou ?

« Peu importe, il était grand temps que tu mettes ton pied à terre et que tu fasses un homme de toi, me susurra une de mes voix intérieures : celle qui voulait toujours mon bien. Et puis, tu pourras toujours mettre ça sur le dos de Charlie. »

CHARLIE !

Je l'avais oublié, le temps d'un coucou.

Jusqu'à maintenant, j'avais pris tous les moyens, conscients ou inconscients, pour retarder l'affrontement, mais il me fallait, tôt ou tard, faire face à la musique.

— Tard ! décidai-je. Le plus tard possible.

Pour me changer les idées, j'allumai la télévision. À ZDF : un journaliste qui semblait avoir avalé un parapluie lisait, d'un ton monocorde, les principales informations de la journée. Déprimant. Je zappe.

À ARD, l'autre chaîne d'État : un animateur, dont la ressemblance avec Pat Burns me troubla, animait la version allemande du jeu-questionnaire américain *The Price is right*. Lamentable. Je re-zappe.

La station autrichienne ORF nous offrait, comme elle le fait assidûment, tous les samedis soir, depuis le début de son existence, une émission musicale rétro où tous les nostalgiques de l'opérette de Johann Strauss à Franz Lehar pouvaient se délecter pendant toute une soirée d'un fleuve, que dis-je ! d'un océan d'eau de rose et de guimauve dans le décor enchanteur de Grienzing, enclave de verdure et d'arbres millénaires parsemée de bistros, de cafés et de terrasses où s'entassaient Viennois et touristes, les jours de beau temps. D'excellents violonistes, refusés par les orchestres autrichiens, s'y retrouvaient et y gagnaient leur vie en tirant langoureusement de leurs instruments les musiques que les clients voulaient entendre. Étant moi-même rétro et straussophile, je ne zappai point et me laissai envahir par ces airs qui avaient enchanté ma mère, ma grand-mère et sans doute aussi quelques autres aïeules qui avaient eu l'heureuse ou la malheureuse idée, c'est selon, de me léguer leur inclination pour ce genre de musique.

Tout y était : du *Danube bleu* jusqu'à la *Chanson de Villia* en passant par toutes les valses et polkas du répertoire.

« Quétaine ! Quétaine ! répétait méchamment une sadique voix intérieure. Tu te rends compte ? Si tes amis te voyaient ! »

— Le diable les emporte ! Ce soir, pour une fois, je suis seul et je me laisse aller.

« Seul ! Mais qu'est-ce que tu fais de Charlie ? » grinça la même maudite voix.

CHARLIE !

Je l'avais oublié, celui-là, pendant les trois heures et des poussières qu'avait duré ce long concert télévisé.

Un rapide coup d'oeil à ma montre m'indiqua qu'il était vingt-trois heures dix-huit minutes et quelques tic-tac, à quarante-deux minutes de minuit.

Minuit ! L'heure du crime. L'heure où, selon les légendes, les fantômes sortent de leurs repaires brumeux pour venir terroriser les âmes faibles et les super-naïfs. Ma première réaction fut d'allumer toutes les lumières de la maison. Je me précipitai sur la fenêtre du salon, cherchant une présence ou quelques échos venant de la rue. Rien ! Pas une voiture, pas un être humain ; seulement une sourde rumeur, comme un roulement venant des Alpes, présage d'un orage imminent. Seule la vieille toujours aussi éteinte veillait sur sa mort à la fenêtre d'en face. Morbide !

J'eus envie de sortir, mais où aller en cette nuit sans lune et avec cet orage de plus en plus proche ? Déjà quelques éclairs striaient l'horizon.

Je me sentis traqué. Le sang se glaça dans mes veines et je fus couvert d'une colossale chair de poule. Moi le brave, moi qui ne croyais en rien, voilà que j'étais pris d'un trac irrépressible à cause d'une lamentable histoire de fantôme.

«Pourquoi m'as-tu abandonné, famille ingrate et sans pitié?» voulus-je crier, mais aucun son ne sortit de mes entrailles paralysées par la peur.

Puis je me souvins de Maupassant, je me souvins du *Horla*, ce conte qui m'avait terrorisé au cours de mes années de pubescence.

«Malheur à nous! Malheur à l'homme! Il est venu, le... le... comment se nomme-t-il... le... il me semble qu'il me crie son nom, et je ne l'entends pas... le... oui... il le crie... J'écoute... je ne peux pas... répète... le... Horla... J'ai entendu... le Horla... c'est lui... le Horla... il est venu!...»

À ce stade de mon affolement, j'aurais préféré ne pas me souvenir de Maupassant. Un coup de tonnerre d'une puissance peu commune me persuada de me précipiter vers la cuisine quérir cette bouteille de vodka qui reposait gaillardement dans le minuscule congélateur.

Mais, pour m'y rendre, je devais passer devant le maudit miroir du corridor, une perspective extrêmement désagréable.

— À la guerre comme à la guerre, me dis-je.

Il me fallait absolument réagir avant de perdre la raison.

Je passai donc devant le miroir et eus l'audace de m'y regarder. Il ne me renvoya pas mon image. Étais-je devenu invisible? Je passai une seconde fois: toujours pas d'image; que ce courant d'air froid qui me transperça de mille frissons. Vivement la vodka! En tremblant, j'empoignai la bouteille et, au goulot, goulûment, je m'en envoyai une généreuse lampée, puis une deuxième et une troisième, jusqu'à la lie. L'effet fut presque instantané. Comme par enchantement disparurent tous les follicules pileux de ma chair de poule et je sentis une bienfaisante chaleur m'envahir, en même temps qu'une certaine bravoure qui se transforma bientôt en bravade.

— Amène-toi, Charlie ! Amène-toi avant que j'aille te chercher dans tes derniers retranchements !

Visiblement, pour un petit buveur dont les libations se limitaient à un verre ou deux, le vendredi soir, l'alcool faisait son effet.

Je repassai devant le miroir, à qui je fis une grimace et qui, cette fois-ci, me renvoya mon image. C'est donc à moi-même que je grimaçai. Je trouvai ça hilarant. Je me permis même de souffler avec vigueur en direction de la glace.

— Tiens, prends-ça, vieux trumeau. Ça t'apprendra à faire peur au monde !

Plus il éclairait, plus il tonnait, plus la pluie fouettait les vitres et plus le vent faisait trembler les murs, plus je me bidonnais. J'ouvris toute grande la fenêtre du salon et fus immédiatement trempé jusqu'aux os. La vieille était toujours à sa fenêtre.

— Hé ! Brünehilde, qu'est-ce que t'attends pour aller te coucher ? gueulai-je à travers l'orage.

Mes paroles se perdirent dans la tourmente et, comme un fou, je me mis à crier à m'en défoncer les poumons. Inconsciemment, j'essayais d'exorciser tous les démons qui m'avaient poursuivi depuis le départ de ma famille.

Après m'être vidé de mots et de paroles, je décidai d'éteindre toutes les lumières de la maison et d'affronter enfin le fantôme Charlie ou Karli pour les Teutons.

J'allai donc dans la chambre de belle-maman chercher le fauteuil dans lequel il s'était supposément assis et l'installai face à la porte d'entrée, sous l'interphone où Heinrich l'avait aperçu.

— À nous deux maintenant, mon vieux Charlie. Montre-moi si t'as des couilles !

Grave question métaphysique : un fantôme peut-il avoir des couilles ?

Au diable la métaphysique, j'étais prêt. Mon courage « vodkaïsé » n'avait point de limites.

Deux minutes plus tard, je dormais tel un bien-heureux, comme si toutes les peurs et les appréhensions de la journée s'étaient transformées en une bienfaisante relaxation.

Il devait bien être trois ou quatre heures du matin, je ne me rappelle plus exactement, quand je fus brusquement sorti de ma torpeur par un énorme coup de tonnerre suivi d'un éclair qui sembla longer tout le corridor, en venant de la cuisine. Au-dessus de la porte, émergeant de l'interphone, il était là, me toisant avec dédain et semblant me dire : « Passe-toi ça entre les dents, pauvre sceptique, pauvre mortel ! »

C'était Charlie ! C'était mon premier fantôme.

— Est-ce vraiment toi, es-tu Charlie ou Karli ? réussis-je à bredouiller.

Il continuait à me toiser, un rictus au coin de la bouche, sans mot dire.

« Comme je suis bête ! Il est allemand et ne comprend évidemment pas le français », raisonnai-je.

— *Bist du Karli ?* ajoutai-je dans sa langue.

Il ne daigna même pas me répondre et, après un regard qui avait l'air de dire : « Tu n'en vaux pas la peine », il disparut, sans doute dans la nuit des temps.

Dehors, l'orage avait cessé et les premiers rayons du jour, annonciateurs d'une belle journée, vinrent chatouiller les murs de l'appartement.

Je replaçai le fauteuil dans la chambre de Kyra et, lentement, en parfait accord avec moi-même, je me préparai un bon café noir et allai m'asseoir sur le balcon.

Oui, décidément, ce serait une journée magnifique.

* * * * *

Épilogue

Il était six heures du matin.

Le taxi, un minibus, attendait depuis une dizaine de minutes déjà devant le 28, rue Kurfürsten. Il n'y a pas plus ponctuel qu'un taxi allemand.

Je suais à grosses gouttes après avoir descendu du troisième étage les huit valises dont chacune me semblait peser une tonne. Nous étions partis de Montréal avec quatre valises mais, selon sa bonne habitude, Valentina, dont la générosité était sans limites, tenait ses promesses de rapporter des cadeaux à tout le monde, sans compter qu'elle et les filles ne s'étaient pas privées pour enrichir leur patrimoine et leur garde-robe.

— Encore une maudite vague de chaleur! gueulai-je en m'épongeant le visage. On dirait que, chaque fois qu'on quitte Munich, le thermomètre grimpe d'une quinzaine de degrés. Et ça fait quinze ans que ça dure!

— Cesse de râler! m'enjoignit ma dulcinée. Après tout, tu n'as rien foutu de l'été. Et puis, souris un peu. Regarde nos voisins qui se sont tous levés pour nous souhaiter bon voyage.

Je levai les yeux. Ils étaient effectivement tous là dans leurs fenêtres.

Herr Graf, impeccable avec sa lavallière et accompagné de son éphèbe, nous fit un petit signe de la main et je crus lire sur ses lèvres: «Le jour de gloire est arrivé.»

Au deuxième étage: Brigitte Muster, très décente dans une robe de nuit couleur chair, multipliait les baisers pendant que sa chienne Jenny, selon sa détestable habitude, braillait à s'en crever les tripes. Je n'allais pas m'en ennuyer, de celle-là.

À la fenêtre voisine, le couple Dengler, vêtu de burnous et la tête enveloppée d'étranges keffiehs, se livrait à un bizarre rituel en balançant les bras de haut en bas et de bas en haut. Nous crûmes deviner qu'ils voulaient faire tomber sur nos têtes les bénédictions d'un dieu quelconque.

Plus haut, les yeux humides, les Grigoleit, ce couple sympathique dont je n'ai pas beaucoup parlé. Que dire des gens heureux sinon qu'ils sont sans histoire ?

Dans la fenêtre de notre appartement, Kyra, la meilleure et la plus indulgente des belle-mères, tentait sans succès de retenir ses larmes. Jamais elle ne s'habituerait à se séparer de sa fille et de ses petites-filles bien-aimées.

Au-dessus : la famille Hartung. Elsa fumait et Siegfried toussait. Il lui fit signe d'écraser ; elle refusa. Il s'ensuivit une engueulade et les deux têtes disparurent brusquement derrière les rideaux.

— Belle façon de nous dire adieu, réfléchis-je tout haut.

À notre grande surprise, Saft était lui aussi à sa fenêtre, soutenu par sa femme Apfel et menaçant de s'écraser à tout moment, mais il était là, l'œil torve et la lèvre pendante, relevant d'une autre de ses gargantuesques cuites.

— Croyez-vous qu'il sait qui nous sommes ? glissai-je à mes femmes.

— Peu importe. C'est quand même gentil d'être là.

Au moment où nous prenions place dans le véhicule, tous nos voisins, sans se concerter, nous adressèrent un dernier adieu.

En levant les yeux pour leur rendre leurs saluts, je crus apercevoir une ombre sur le toit de l'édifice, une ombre qui disparut à l'intérieur de la grosse cheminée aussi rapidement qu'elle était venue.

— T'as vu quelque chose sur le toit ? demandai-je à Valentina.

— Non, et toi ?

— Je n'en suis pas certain, il m'a semblé que...

— Tu as trop d'imagination, tu devrais écrire un livre, ironisa-t-elle.

« Et pourquoi pas ? » me dis-je.

Munich, Montréal et Dunham, le 15 mai 1996.